JN057904

デリー発 インド通信
～天竺に遣はされし男の消息～

大泉正城
OIZUMI Masaki

文芸社

前書き

今は昔、
上の命により、西の方天竺に遣はされし男ありをのこ。男これも宮仕へと思ひ定め、時至らば先達にならひて頭を丸め御仏の弟子にもならむかと妻子を本朝に残し、折からの旱魃に襲はれしさなかの天竺の都に独り赴くと、なむ伝へたるとや。
さてさて、男の出遭ひたる天竺の有りやうや如何に。

2023年8月23日、この年9月9日より首都ニューデリーで開催される「G20サミット」を前にして、インドは世界で初めて月の南極付近へ月面探査機「チャンドラヤーン3号」を送り込み、月への着陸は、日本に5カ月先行し、旧ソ連、アメリカ、中国に次ぐ4カ国目となった。更にそのわずか10日後の9月2日、今度は太陽観測衛星の打上げに成功し、地球から150万キロ離れた軌道の観測点に4カ月かけて到達する予定だという。G20議長国インドが宇宙大国として世界に名乗りを上げた瞬間である。

他方で、2023年4月末には、インドは中国を抜いて人口世界一となったと推計されている（国連統計）。
更にその4年後の2027年、インドのGDP（国内総生産）は日本を抜いて、米国、中国、そしてインドと、世界第3位の規模となるという（IMF予測）。
身近なところでも、今、東京の街中でも、インド人やインド料理のレストランを普通に見かけるだけでなく、南房総の海辺の和食レストランにも、流暢な日本語を操りながら、何と！店の看板料理の刺身の舟盛りの説明までしてくれるインド人サービス・スタッフを目にするようになっている。

タイ中部の古都「アユタヤ」、インドネシア・ジャワ島中部の古都「ヨグヤカルタ（ジョグジャカルタ）」の名は、古代インド・コーサラ国の初期の都であり、偉大なる叙事詩ラーマヤナの故地でヒンズー教七大聖地の一つでもある「アヨーディヤー」の名に由来する。

このことは、仏教の伝播のみならず、当時のアジアにおけるインド文明の多大なる影響と輝きを如実に示しているが、かつてのアジアにおけるその地位と同様に、最近のインドの動きは、今後世界においても様々な分野で強力なリーダーシップと影響力を発揮していくことを予感させる。

「チャンドラヤーン３号」打上げのほぼ半世紀ほど前、インドは世界の大国と言われながらも、貧困問題を始めとして、外貨不足、電力不足、自然災害、国内の対立する宗教・民族間のテロ、隣国との国境紛争などなど、様々な問題に悩まされていました。

当時は、日本人がインドの街を歩いていると、日本人がまだ珍しかったとみえ、地元のインドの人達からジーッと見つめられたものでした。

1987年（昭和62年）、世は地価の異常高騰の中で、松下電器と船井電機が「家庭用自動パン焼き機」（ホームベーカリー）を世に問うた年でした。この年、一人の男がインド（デリー）への単身赴任の引越荷物に「ホームベーカリー」を入れるべきかと悩んでいました。

貿易商社に入社して鉄道車輌や鋳造品・鍛造品の輸出を担当して20年、その男はインドネシア（バンドン）に続く２回目の海外駐在地インドに赴かんとしていました。

それまでにインドには何回か出張もしており、全く未知の国という訳ではなかったのですが、その国で生活をするともなるとやはり心構えは全く違ってきます。

が……結局、この年異常な旱魃で停電が頻発していたデリーでは無用の長物になる恐れがあるとして、ホームベーカリーは取りやめて（当時の製品は、途中で停電すると折角日本から持ち込んだ材料が全て無駄となってしまう）、代わりにヒマラヤの山々を思い描きつつせめてもの夢も込めて、小学生時代から毎年家族で親しんで来たスキーの道具を引越荷物に入れてみることとしたのです。

1987年8月6日、着任したデリーは、折からの停電と熱波、それに人、人、人で溢れていました。

男（本文中の「O氏」）はインドの熱気と異文化にどっぷりと浸かり、ビジネスの正規の報告書ではとても報告し切れないインドでの体験や、見聞きした様々な事柄を、「まあ聞いてくれ、今日も又インドならではのこんな出来事があった！」と筆の赴くままに出身部隊の同僚達に、写真や挿絵を交えた手書きの私信を書き送り始めたのです……。

現在、インドは「30年前の中国」とも言われているようですが、3回目の海外駐在として、香港返還の翌年（1998年）まで4年ほど駐在した中国（青島＝チンタオ）の場合には、このような形では、O氏の感性に触れて来なかったのも、インドがインドたる所以であったのでしょう。

『インドは面白いでしょう？ 1時間もしない内に予想外の事が次々と起こって、退屈しないんだから』とは、O氏の友人で、デリー駐在時代の同僚でもあり、インド生活の達人であったＩＺ氏の言葉です。

読者の皆さんにもインドを、そして願わくばインド経験者には沸き起こる「ある！　ある！」感を、大いに味わって頂きたいと思います。

2024年3月

目 次 「デリー発 インド通信」

今は昔、
本朝より天竺に遣はされし彼の男、天竺に至り三週の過ぎるほどに、用ありて、天竺の中ほどに当たることより「天竺の臍」と謂はれたる「博帕爾」(Bhopal／ボパール)なる地に赴かんと欲するも、搭乗機なんとこの地を差し過ぎて「印多爾」(Indore／インドール)なるあらぬ地に降り立ちぬ。
その折に一人天竺を旅して博帕爾近郊「桑奇」(Sanchi／サンチー)の世に知られたる仏跡「桑奇卒塔婆」(紀元前三世紀、孔雀王朝阿育王＝マウリア朝アショカ王建立)を訪ねんとする本朝の女人に出遭ひたり。
かかる奇特には出遭ひたるも、彼の男、肝心の用向きは果たせずして「孟買」(Mumbai／ムンバイ＝ボンベイ)をただ回りて徳里(Delhi／デリー)に帰り来たると、なむ伝へたるとや。

1987年8月30日

日本のみなさま

ニューデリー在 大泉正城

第1信 インドの朝は早いの巻

I プロローグ インドの朝は早い

インドの朝は早い。

とてつもなく早くて前日の夜との境が無い。

ヨーロッパと東南アジア(日本も含め)の狭間に位置するこの国は、異国との接点である国際空港での飛行機の発着が夜中の1時、2時にピークを迎える。

この時刻ともなると飛行場の周囲は異常な活況を呈する。

国際ビジネスマンあり、出稼ぎ労働者あり、メッカへそしてメッカからの巡礼者の一団、ヒッピースタイルの欧米人、出迎えそして見送りの人々で、飛行場というより昔懐かしい祭りの夜店の雑踏の感がする。

そこここに、村の代表を見送る（出迎える）人達であろうか、石の床に寝込んでいる人、ピクニックよろしく食べ物を広げている人、親切ごかしの（そしてせかせかと抜け目なさそうに動き回り）手押し車を押して何かを狙っているような子供達。

国内線も又朝が早い。

５時台、６時台（逆に帰りは夕方の６時台、７時台）の出発が多く、この為に４時、５時の起床は珍しくも何ともないことになる。

（……停電で部屋の温度が上がり、頭がボーッとして来た為、誤字・脱字が多くなる。しばし休憩……）

国際線で人を出迎え（或いは見送り）、そして国内線で出張という事になったら文字通り不眠不休となる。

それに又飛行機もよく遅れるし……。

Ⅱ 1987年8月29日（土）早朝ボパールへ

前日の大雨の後で空は曇っており、早朝の事で湿度は高いものの気温も低く、インドにもこういう朝があるのか？　と気分を良くし、早朝の散歩から帰ったばかりの、デリー事務所のチョプラ（CHOPRA）の親父殿（73歳とか）の見送りを受け、チョプラをピックアップして一路デリー空港へ。

デリー（DELHI）発6時35分、グワリオール（GWALIOR）

⇨ボパール（BHOPAL）⇨インドール（INDORE）経由ボンベイ（BOMBAY）行のB737は、予定通り出発。……幸先良し（良過ぎる）。

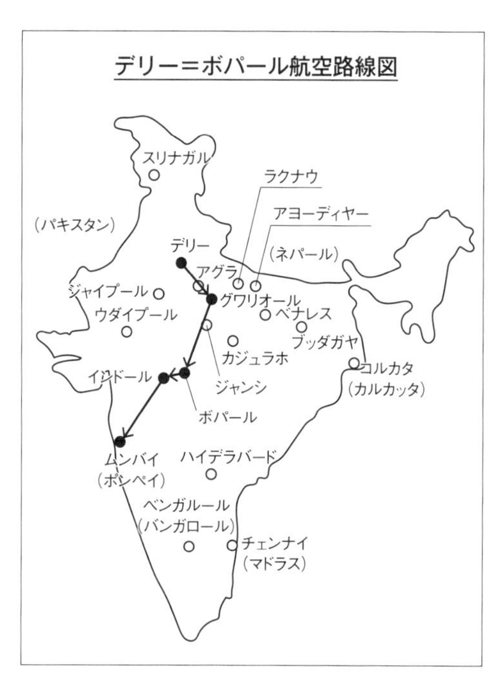

空港で買い損ねた（売り切れ）新聞を前の席から黙って頂く。（特に断りなし。インドの良いとこ）今日もボフォース（「BOFORS」：この国の「ロッキード事件」）だろう……。旱魃/洪水が一緒に発生するんだからこの国は広いなー……Rs600CR（約70億円）の節約か……大変だなー災害も……。

【（外貨不足の為）政府の役人や国営企業の幹部の海外出張費用を大幅に削減……】

ナヌ?!

ヤハリソーカ。どうもおかしいと思ったが……。

（インド国鉄検査官の日本への派遣が延び延びになっている）

さて、どの部分をテレックスに入れるかなー。拡大できるコピー機があればこのままファクスできるのになー。

〈グワリオール空港〉

機外の雨は相当激しい。

でもこの雨で心は浮き浮きとしている。やはり東南アジア人（日本人もその支族）には、雨と湿気が必要だ。もしかすると遠い先祖は雨ガエルではないか？「日本人＝雨蛙」こういう本を出したら売れるかな？

見てみろ、この記事……。別の新聞を、今度は隣の奴が寝ている間に失敬。雨に打たれているこの写真のインド人（農民）の嬉しそうな顔（16頁の写真参照）。インド人も雨が好きなのだ。

着任時の1週間はひどかったな～。カンカン照りで脳ミソが沸騰し、頭がガンガンしてくる上に停電。壁は汚いし、階段は一つ一つ高さが違うからつまずくし、ホコリはひどく、エレベーターは来ない。おまけに停電とは……一体全体どうなっているんだ！

「ん？」ボパールの天候悪く待機？（機内アナウンス）

まあ急ぐ旅でもないし、ゆっくりやってくれ。どうせ今日は土曜日だ。

グワリオールと言えば、“有名なシンディア（SCINDIA）”一族の町。鉄道大臣のシンディアは直系だとか。確か観光名所のお城があった筈。ボパールに行けないなら、ここで途中下車も……。

〈まだグワリオール空港〉

その後雨も降って気温も下がって来たし、周りの汚れも目に入らなくなって来て、自分がインドの中に入ってしまっているのを見出した時には、早過ぎるなー？　と首をひねったものだ。こう早く「土着化」して良いのだろうか？

今回は用心しているせいもあるが、まだ一度もお腹をこわしていないし、俺はインド向きだったのかなー……。(FD部長には黙っていた方が良さそうだ) シー！

スチュワーデス嬢
『ボパールには着陸できそうもありません。しばらく様子を見ます。お待ちください。』

結構、結構。空いている席で横になろう。チョプラ、チョット後ろに行って寝てくるから、何か言ったら起こしてチョウダイ。
ウォークマンでキタローを聞いている内に、本当に寝込んだらしい。チョプラに起こされる。
『この調子だと、仮にボパールに着いても帰りのフライトが来るかどうか分からない。それでも行くか？』
行くかと言われても……ここまで来てしまったのだし……行けば何とかなるヤロ。
日帰りの予定で何も持って来ていないが、金だけはあるし、パンツは裏返して穿けば……。これまでは裏返したパンツなど穿いたことも無いが、大丈夫だろう。独身貴族のＹＭ君だって大丈夫だったのだから？　ＹＭ君ヌレギヌかなー？

機内アナウンス
『ともかくも、ボパールに向かって出発してみます。駄目ならインドールへ着陸します。』

機内が、『TAKE CHANCE ！ TAKE CHANCE ！（一か八かやってみよう)』と言って拍手。かなりボパールを目指している人がいる様子。ともかく離陸。

飛ぶことしばし、又機内アナウンス。
『皆様しばらくしてボパール空港に着陸します。ベルトを締めてください。ムニャ、ムニャ。』
わぁ〜〜と機内に大きな拍手。雨の中をドスンと相当乱暴な着陸。その内に機内がガヤガヤし始める。忘れ物は無いかな？ 新聞（人の物だが）も持ったかな？　水筒は命の綱。横の奴が割り込んでケシカランが、新聞の「元持ち主」だからカンベンしてやろう。

〈インドール空港〉
（ページが飛んでいる訳ではありません）
何と?!!　着陸したのはボパールに非ずして、インドール空港。スチュワーデスも知らずに「ボパール」とアナウンス！
さて……どうするか??
ここからボパール迄は車で4時間以上（通り過ぎたボパール迄戻る訳）。大雨の中をインドの車で行って、果たしてエンストを起こさず辿り着けるか？　車はかの“有名な”名車アンバサダー。（車の好きなダンディーＫＤ君、乗ったことある？）
今から出発して着くのは夕方。訪問先のＢ重電機会社ボパール工場はその頃にはもう門が閉まって閉門。明日の日曜日ボパール工場はやっている（代わりにここは月曜日が休み）。故に、いよいよＹＭ君のノウハウ「裏返し」を借りる時が来た。
ボンベイからの逆の便の内、午前の第1便は既にキャンセルになっているし、ボパール空港は高原地帯で雲が低い。空港の地上設備が不十分で全て有視界飛行（当時）。午後の第2便がボンベイ⇒インドールと飛んで来て乗ったとしても、果たしてボパールに着陸するか……。
ボパール迄戻れて何とか仕事を終えたとしても、夕方のデリーへの帰りの便は来るか？　来たとしてボパールに降りるか？　往復同一機材を使う為、往きが飛ばねば帰りは自動的にキャンセル……。

君ならどうする？

ボパール⇒デリーの列車は16時間。ついでに、月曜日の朝（つまり早朝2時））には、H社のＩＯさんという人がデリーに到着するので、空港出迎えと打合わせの予定がある。

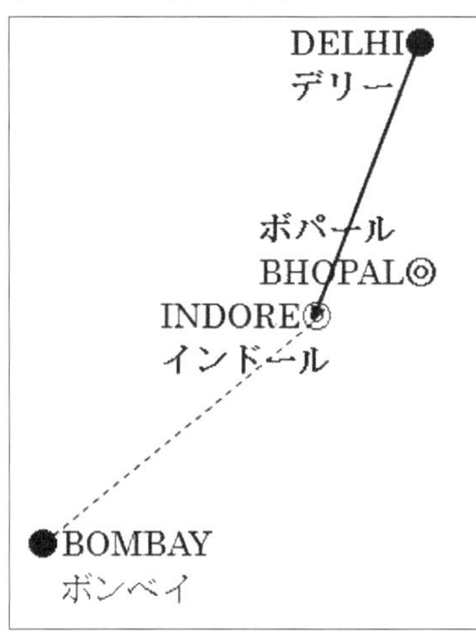

回答1

BY：昭和女子大の専任講師の先生（日本文学、東洋哲学）。偶々(たまたま)同じ飛行機に乗り合わせ、ボパールに行く予定の女史。ボパールから北東へ車で1時間弱の有名なサンチー（SANCHI）の仏教遺跡、及びボパール近郊の岸壁絵画の研究の為の一人旅。

近頃（或いは猛者は昔から）インドに魅入られた女性の一人旅を時々見かける。この間は、マドラス（MADRAS）からデリー迄36時間の二等列車の旅をして来た猛者がいた。

この講師先生は迷わず（？）ボパールへ。

回答2

BY：問題の某商社のデリー駐在員Ｏ氏（43歳、鉄道車輌担当）この人も迷わずボンベイ行に搭乗。女性一人でボパールに行かせることにはＯ氏大いに迷いあり。但し、仕事の方はあっさりギブアップ。

但し、転んでも只では起きぬ商社マン。インドール空港で出発迄ギリギリねばり、ボパール⇒インドール⇒ボンベイ⇒デリーの航空券を無料として貰い、ボンベイでは無料の昼食を手に入れた次第。

かくして今回はボパール上空を通過し、インドの西の部分を一周してデリーに戻るという妙な出張となったのでした。

インドの面白いところは、明日（というより次に）何が起きるか予測できないところに有り。そう、L/C（信用状）がちっとも変更（有効期限延長）されぬのも？……。（いや、これは毎度のことで“十分に”予測可能）

従って、（計画が）予測通りに進まぬと困るなどという了見を捨てれば、実に面白い意外性を楽しめるところかも知れない……。

Ⅲ　８月30日（日）東京へ初便、そして翌朝は？

赴任以来、お腹もこわさず３週間経過。

先ずはご当地のニュースから。

車輌貿易部の皆さん今日和。

赴任以来３週間を超えました。どうやらお腹もこわさず、暑い中、日本で培った体力のおかげで頑張っています。

ＷＨ次長、及び車輌貿易第四課の皆さん、わざわざ成田迄お見送り頂き有難うございました。

自宅（前任ＡＨ駐在員宅）に移って初めての日曜日ですが、航空貨物も届き、整理もついて、少し余裕が出来たので本信をしたためています。

どんな調子で仕事を開始しているかについては、本信のⅠ、Ⅱの部分で想像してください。なかなかに味わいのある国で、日本が本当に国際的になる為には、このあたりの国と互角以上に勝負をしないとまだまだという気がします。

さて今日は当地のニュースの一端を紹介することにしたいと思います。新聞の政治面は、ここ数カ月、この国のロッキード事件ともいうべきボフォース（BOFORS）（スウェーデンの有名な鉄鋼、重機、武器製造会社。日本の三菱重工のようなもの）のニュースで持ち切りです。外国人には今一つ分からぬ面があるものの、ラジブ・ガンジー（有名なネルー首相の娘が、この間暗殺されたインディラ・ガンジー首相《女史》であり、その長男が現首相のラジブ・ガンジー）の政権が何時倒れてもおかしくないような報道振りです。

でもこの多様な国を引っ張って行くカリスマ性を持った代わりの人物は見当たらず、低空飛行のまま続くような気がします。

さて今日は政治問題を離れ社会問題を。

この新聞記事を見てください。

Rains revive lost hopes

8/29 HINDUSTAN TIMES

THANK HEAVENS: A jubilant farmer in rural Delhi after the daylong rains on Friday — HT photo by N. Thiagarajan

1.『十天の慈雨』

嬉しそうなインドの農民の写真。この喜びの顔！　分かるねー！　実によく分かる！

このところ、東部を除き、(東部は逆に大雨で洪水)、例年のモンスーン時期に雨が降らず、「空(から)梅雨」現象が危機化し、旱魃になっています。数十年振りの旱魃とかで、農業生産が大打撃を受けつつあります。

小生の赴任した頃（８月）も雨が降らず、気温40℃以上の日が続き、ガンガンと頭がおかしくなるほどでした。

インドの経済は、旱魃、洪水等の天災があると食料の輸入で途端に国際収支が悪化し、豊作で好転という繰り返しでした。このところ豊作が続き、今や中国と並び「筋の良い借款供与対象国」と言われていますが、今回の天災で先行きが心配されています。経済/政治はともかく、社会面では、みんながホッと一息ついたという気持ちがよく表れています。

今までガンガン（カンカンでは足りません）照りの続いたデリーでも大雨が降り、小生も個人的にこの雨の喜びがよく分かります。

2.『時ならぬ洪水―首都、街中水浸し』

ところが！？　雨も多過ぎると……。

この雨も一度に降ると大変。下水の不完全なデリー市内でも次の新聞記事の如く、道路が川に変わります。現地職員も洪水で出勤不可能ゆえ休む……ということになります。

日本人は車が良いせいもあり、普通に出社。道端にはエンストした国産車が置き去りになっています。

Vehicle owners had a tough time on Friday negotiating the flooded roads. This was the scene near the Mathura Road bridge — HT

Heavy rains lash capital

注：O氏自身も大雨洪水を経験！（⇒インド通信【第11信】カジュラホ紀行の巻その①参照）

3．『物価も心配』

『物価を厳しくチェックする：首相』

例年の如く、気候の良くなる秋口からは、インドも観光シーズンに入り、夏と打って変わり、ホテル事情が極端に悪くなります。ホテルの値上げが始まります。今年はこれに加えて、インドの民衆の生活に直結する農産物を直撃している旱魃で食料品の価格アップが心配されています。

4．身の回りでは……

『旱魃救援の為に歳出カット』

新聞で「そういうところかな～？」などと構えていた我々の身の回りでも、仕事/生活の両面で種々影響が出始めています。今、日本のH社で生産中の電気機関車に関するインド国鉄の検査官が20名ほど来日することになっていましたが、国としての経費節減により来日不可能（延期）となっています。（それにしても、20名は多過ぎますが……）

『三日連続の計画停電』

雨が降っても停電は収まらず、相変わらず毎日停電があり、冷房/コピー機は止まります。アッ、電力庁への悪口が電力庁に聞こえたか？　今丁度停電！　時に、8月30日14：10。
何と言っても、コピー機が止まるのが一番仕事に差し支える……。

こんなところが昨今の社会面の記事です。
既に戦後の生活を忘れた日本人には中々生活の不便さには慣れませんが、人間も動物である事を思い出させ、不便さその事に余り嫌悪感を持たねば、なかなかに奥行きのある国のようです。

又時間を見つけ「インド便り」を書きます。
時々東京の便りでも聞かせてください。

追申：明日8月31日月曜日は、早朝（午前02：00）お客さん空港出迎えありの為、この辺でお休みなさ〜い。かくして「狭間（はざま）の国インド」の朝は早い。乱筆失礼、お許しのほどを。

《第1信 完》

今は昔、
彼の男（をのこ）の天竺に至れるこの年本朝昭和六二年（すなはち一九八七年：アサヒスーパードライ発売、ロッキード事件控訴審判決など）、彼の地五月～八月のモンスーン不順によりて、大いなる旱魃襲ひ都の徳里（Delhi、デリー）停電あひつぎ、片つ方天竺東部これに違ひて大水被害はなはだしく、天竺なかなかに広しと彼の男、本朝に文送るに忙しく、本朝の若き人へのインド秘伝の伝授差し措きとなりぬと、なむ伝へたるとや。

1987年9月21日

日本のみなさま

ニューデリー在 大泉正城

第2信　さてさてインドでは？　の巻

デリーも大分涼しくなって来ました！
（近々ご当地お目見え予定のＫＣ君ホントだよ）

『デリー９月20日天気概況』

ほぼ快晴
最高気温36.9℃（＋３）
最低気温25.1℃（＋１）
日曜日の日の入：午後６：21
月曜日の日の出：午前６：09

北の方にあるシムラ（SHIMLA）という街では最高が23℃、最低が15℃だ、ソーデス。もっともインドの北にはヒマラヤまでありますが……。

『さらに長時間の停電』

事態は悪化に向かっている？

『BOFORS曰く、賄賂に印度人は無関係』

さてさて、前回の便りの後、インドの政治はどうなっているでしょうか？　そーです、特に変化もなく、相変わらず「インドのロッキード事件」が紙面のトップを飾っているのでアリマス。

一方で、内閣改造をめぐる地下の動きがある雰囲気ですが、これは表に出て来るまで外国人の我々にはよく分かりません。

その後の旱魃/洪水問題

深刻さが紙面からもジワリジワリと伝わって来ます。

『UP州、旱魃支援に財源130億ルピー必要』

「UP」というのは、「ウッタル・プラデッシュ」という州の略号で、デリーの南東に広がる人口最大の州。O氏がよく出張するインド国鉄の鉄道技術研究所のあるラクナウ（LUCKNOW）が州都。

『オリッサ州の餓死者報道を否定』

インド南東部のオリッサ州で餓死者が出たとか、それは嘘だとか、政府と新聞がやり合っています。

身の回りでは、バターが市場から消えました。かつての日本のトイレットペーパー事件を思い出させます。

という訳で、今までは、「雨が降らない（又は降り過ぎ）、大変だ！　大変だ！」という新聞の論調が、旱魃/洪水で発生した災害への対策／結果に論点を移しつつあるようです。

そこで、預言めいたことを言うと、インドは食糧問題の桎梏（しっこく）から抜け出せず、これから財布の紐の引き締めにかかります。

又準鎖国経済に逆戻りか、開放経済に向かうか、政争とも絡んで今後の動向が注目されます。

実は今回のインド通信では、こんなお固いお話をするつもりではなく、インド特有の、大新聞見開き堂々２頁を使った、毎回何十人（百何十人？）というお相手紹介、お相手探しの「紹介／照会」蘭をお見せして、あの世界に冠たる「インド人のアピール力」の秘伝中の秘伝をお伝えし、東京のお若い皆様のお役に立つつもりでアリマシタ。

近々ご当地にお目見えするＫＣ君も独身とかで、余計なお世話ではアリマスが、ご当地の状況をお知らせすることでお役に立ちたいのでアリマース。乞う、次回をご期待!!
（取り敢えず今回は、ＹＭ君は話題に挙がらず、無事でヨカッタネ）

追申：〈女人禁制〉の付録
アノネ、ジツハ……その類のバショガアルヨーデス。毎週電話が掛かってくるのです。変なアクセントで、「オトモダチ？」（お友達になりたいという事？）という電話があるのです。折角昼寝をしているとこを起こされると頭にきます。

おわり。

《第２信 完》

今は昔、
天竺人たれば神の御使ひにとりなす牛様なれど、主無き輩街中をところえがほに歩み、人呼んで野良犬ならぬ「ノラ牛」ともいふ。このノラ牛様の朝夕生み出す落としモノ、その量たるやひとかたならぬべしと案ずるも、人様のモノと同じくいづれも終には昇天すと聞き及び、流石(さすが)仏の国とは思ひしかどこれ如何ならむことにかあらむと心寄せたる男(をのこ)ありと、なむ伝へたるとや。

1987年10月18日

日本のみなさま

ニューデリー在 大泉正城

第3信 クソ談義の巻

先週の初め、睡眠不足が祟ったのか少し風邪を引き2〜3日頭がボーッとしていましたが、早めに薬を飲んだのが良かったせいか、週末にはすっかり治りました。当地も季節の変わり目で風邪を引き易いらしく、周囲にも何人か鼻をグズグズと言わせている人がいるが、乾燥しているせいか、すぐ鼻クソになってしまう。

さて、クソ談義。

〈その1〉

インドには牛が多い。ヒンズー教では、牛は神様のお使いと聞く。従って街中を牛がウロウロと歩き回っている。野良犬ならぬ野良（ノラ）牛である。

ニューデリーのような大都会でさえおお通り（「大通り」より原始的ナノダ）に牛様が歩いておられるのだ。ラクナウ（LUCKNOW：デリーの南東400㎞）という、インド国鉄鉄道技術研究所のあるウッタル・プラデッシュ州の州都では、いいですか州都ですよ……牛様のお歩きになる脇を人間が歩かせて貰っている有様。

インド全体で一体何匹（頭）の牛がいるのだろうか？

この問いは数学的域を通り越し、哲学的意味さえ帯びてくる。もし牛が神の使いとし、それぞれの牛はそれぞれの神様より差し遣わされたとしたら、神様の数と人間の数はどちらが多いだろうか？？？

ついつい道草を食ってしまった。これも牛のせいだ。

この牛が団体でクソをする。それも毎日だ。

で……インド中がクソだらけになるか？　……というとそうでもない。

♪♫ナーゼナノカ？　♫

クソ虫でも処理できない量だぞ。

場面変わって田園地帯（交響曲風田園でなく、民謡の世界の「田園」）を思い浮かべてください。

街からちょっと田園地帯（早く言うと田舎）に出ると、道端に「炭焼き窯」のような焦げ茶色をした大きな土饅頭が点々と並んでいるのを見かける。

そう、大当たり。これがクソの成れの果てなのです！
では、インドではクソ窯で炭を作るのか？

スカ！ これが分かる人はかなりの年齢。
その昔まだ50銭玉が通用した時代に駄菓子屋で当たりくじ付きの菓子やオモチャを買った時悔しい思いをしたのがこれ。つまり「外れ」の事。

いいえ、インドでは牛のクソを一つ一つ拾い集め、ピザパイ形状にして炭焼き窯状に積み上げて放置するのです。すると……乾燥している風土のせいで、腐ることなく、カラカラに乾き、クソの干物（ひもの）が出来上がります。

乾いたクソをどうするのか……「ナルホド THE WORLD」これを燃料とするのであります。つまり、普段の煮炊きの燃料とするのであります。
……ん？ するとＫＣ君（ＫＣ君は小生宅に同居中の、同じ部出身の若手。当時はまだ東京でデリーへの渡航準備中であった）のご飯も牛のクソで焚くのか？

スカ！ 当家にはプロパンガスがあるのです。ご心配なく。インドでは牛様のみならず、牛様起源のクソ様も大切なものです。「クソ！」などと馬鹿にしてはイケマセン。

〈その２〉

今デリーの街中は一見建築ラッシュのようで、建築途上のビルがあちこちにあります。
「一見」と言ったのは訳があり、前任のＡＨ駐在員が来た時もまだ建築中であったのが、帰ってからもまだ延々とやっているので、あっちにもこっちにも建てかけのビルがあり、建築ラッシュのような賑わいを見せている次第です。
この建築現場には大勢の人達が1日50ルピー、60ルピー（600円～700円）という賃金で働いていますが、多くの人達が仮の掘立小屋／テントで生活をし、毎日出るものを出しています。
まともなWCは皆無に等しい街中（マチナカ）でこういう現象が続いているので、工事現場の一寸陰になったあたりは臭う事、臭う事。大都会のど真ん中ですぞ。
で……田舎は牛のクソ、街中は人様の○○、となると人間はクソと同居している事になります。

田舎のクソは燃料として燃やしてしまうと煙となり空に消えていく……都会のクソはどうか？　これもまた実は空に消えていくのです。

ドーシテー？

そのカギは乾燥にあります。
そうです。乾いてしまうのです。軽くなるのです。時々風が吹きます。砂埃と一緒に……そう、一緒に……
昇天されるのです。
従って、デリーの街であまり大口を開けて笑ってはイケマセン。知らなかった～？（貴男は遅すぎる）
シーンとしていますね。インドから帰って来た人がしばらく笑わないのはその為です。（分かっている人デス）

ゴビ砂漠の砂嵐が関東ローム層を作ったように、更に西にあるデリーからのそよ風があなたの街に……適度な栄養を含み……豊かな緑を提供しているのかも知れませんネ。「西方浄土」とは、本来こういう意味だったのではないでしょうか。

〈その3〉
……もう十分？　ではまた。

あっ、そうそう大事なことを一つ……。
鼻クソは、だから、いつも、真っ黒なのです。

今回はこれで、また。

追申：
どうやら船便が着きました。2カ月半かかりました。
近々リッチな生活ができるようになりそうです。出張予定の皆様、我が家でゴチソーが出せるようになります。乞うご期待。

又追申：
このところ仕事の合間に家を探していましたが（月末にはまたまた多くの出張者が現れる為、それまでにと思って精力的に動き回り、少々疲れましたが）、やっと目途がつきました。できれば、来月初めには引越をと考えています。それで当面一段落ということになります。

《第3信 完》

今は昔、
天竺すなはち極熱の国と人思ひたるが、さに非ずして、北はカラコルム・ヒマラヤに至り震旦（唐）にも届く広き国にて、冬来たらば雪降る地ありてそのやま口をば「斯利那加」(SRINAGAR、スリナガル）となむいふ。スリナガルより車にて更に一刻ほど登りゆく方に「古爾瑪児格」(GULMARG、グルマーク＝「花の牧場」の意）といふ地ありて、天竺一のスキー場なりと。彼の男（をのこ）、天竺に至りて六月ほどが過ぎし頃、待ちうけたる冬いよいよ来たる。男すなはちこの地さしていそいそしく向かふと、なむ伝へたるとや。（果たしてその首尾やいかん？）

1988年1月24日

日本のみなさま

ニューデリー在 大泉正城

第4信 インド大スキー行の巻 その①

プロローグ スリナガルSRINAGAR飛行場

何々？　ナニ？　ナヌ！？　雪が無い？
今更そんなことを言って貰っても困る。詐欺ではないか？
人をスリナガル迄呼び込んでおいて。
（デリーからスリナガル迄空路75分）

だから事前に雪は本当にあるのかとあれほど確認したのに……。飛行機代が無駄になったか、コンチクショウ奴（め）！

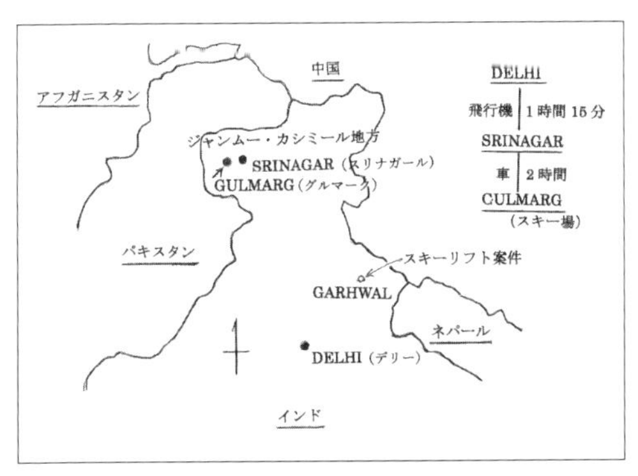

（影の声：ここは印度。自分の目で確かめねばダメ）

それにしてもどうしようか？……。

「旦那どうしますか？」

ウルサイ！　今考えているところだ！　大体旅行会社がケシカラン！　いい加減なことを言いおって！　スリナガルは、冬は雪だ。今は冬だ。だから雪がある。この手のインチキが分からぬようではまだ駐在員とは言えないなあ～。

💡ソウダ！　自分の目で確かめねばダメだ！　この連中（現地の旅行会社の出迎要員）の言う事を信じていたら、又反対の憂き目に会う。雪があるかも知れない。（ソウダ、ソウダ：又影の声）

それにこのままおめおめとデリーに帰れるか。意地でも雪を見つけねば。ヒマラヤ　いや、カシミールの山頂には必ず雪がある（そこまで登れるかは別だが……）

行くのだ！

「そうですね。雪も降るかも知れませんし……」

黙れ！　人の気も知らないで。抑えて、抑えて、ここは印度だ……まあ、迎えに来ただけでも良しとするか。我ながら大幅譲歩だ。
「ごきげんようGood Luck!」
厄介払いできたと思っているのだろう、予定通りスキー場のあるグルマーク（GULMARG：「花の牧場」の意味）へ向かってくれて……。

第一幕 スリナガル⇒グルマーク、TAXIで2時間

ぶつぶつ言いながら旅行会社の手配したタクシーに乗り込む。それにしても印度に本当にスキー場が存在するのかナ？　皆の前では「確かに有る」と言い切って出ては来たもののホントカナー？　単なる雪の斜面カモ？　まさかいくら何でもスキー場はあるだろう……。

スキー場が無かったなんて事になったらミジメー……。

折角日本から持って来た靴と手袋etc.が無駄になるし、「正月は印度でスキー」と年賀状に書いたのも誇大妄想だったかな……？

ウン？　TAXIの運チャンが何か言っているぞ……。
「旦那、アッシは昨日グルマーク迄行って来たんですがネ」
そう来なくては、やはり現地で見て来た者に聞かなくてはダメだ。それで？
「雪が全くありませんでしたゼ」
……ウーン…………（沈黙）………………
何も折角の希望をわざわざこわしてくれなくともよいのに、分かっていないなー。ニャロメ！

……スキーは諦めて、カシミール地方の風景でも楽しむことにするかなー……（ほとけの国で悟りも早い）。

TAXIの窓の外……デリーと違って木材が多いなー。

デリーのレンガと漆喰で固めた建物と違って木造の2～3階建ての家が目立つ。周囲の山から切り出した木材/丸太が目立ち、製材業も盛んな様子。

デリーの街路樹はマメ科の頼り無さそうな樹であるのに比し、スリナガルには家の材料とする木材が集まって来ている。街道の両側も立派なポプラ並木。デリーと違って湿気があるなー。

木材があり、風景に湿気があり、気持ちをホッとさせる雰囲気がある。やはり日本人の肌は雨ガエルの肌で湿気が必要だ。この湿気の何とも言えぬこと……フン、フン、クン、クン……空気のニオイまで違う……。

待てよ?? 前方に牛、後方に馬……と言うことは……やはりこの空気にも粉塵が?……正しくは糞塵か？ ムムム。デリーと違って……。

（アッ、又点いた）

ソウダ、モシカスルトー、

女性がスカート姿……である筈が無いなあー。失望。

（又切れた）

寄り道 ☞☞☞☞☞

この3連休……

（パキスタンで偉い人が亡くなり、急に金曜日が休日となり、今週は3連休となった。偉い人に敬礼！）

……は、電球をいくつ替えただろうか？

▽門燈（門がアリマス）

▽ガレージ

▽台所（電球替えても点かず）

▽食堂（コックの話によれば、昨日ボン！ と、音と共に電球が破裂してガラスが飛び散ったソーダ。まさかー？……でも口金しか残っていなかったなあー。本当らしいなー）

そして今日は、
▽洗面所（点灯した瞬間にボン！　と、音がして切れた。やはりコックの話は本当だ）

寄り道の横町 ☞☞☞☞☞

そして、前任者のＡＨ道人（インドで悟りを開いたらしい）の話もホントーダ。引継ぎで電球が爆発すると聞いて、４年間で頭がオカシクなったかと当時は思ったが……ゴメンネ。
取り消し。今後、彼の話は何でも信じチャウ。

戻り道 ☜☜☜☜☜

かくして、某商社の単身赴任のＯ氏は、身軽なのをよいことに、暮れは30日からデリーを飛び出したのでアリマス。
本当は、暮れの30日に入札があったのですが、公私を一緒にして（念のためですが、「混同」とは違うのです）、関係者みんなの幸せのために、入札延期に注力し、その成果が出た為、赴任して来たばかりのＫＣ君は放置し、しかしながらＫＣ君のサブザックはチャッカリ借用し、スキー靴と自炊道具（アッ、これもＫＢ君のラーメン鍋でありまして、我が社宅での預かり料の代わりに黙って使わせて貰った次第デス。電気製品は時々使った方が長持ちするし……）を手に、年末年始はスキー旅行にという、辞令後赴任前に考えついた計画を実行に移したのですが……。果たして、運命の女神は味方か？　敵か？

さて、スリナガル⇒グルマーク間56㎞の行程は、インドの名車「アンバサダー」で快適に疾走……という訳にもいかず、ガタガ

タの舗装道路をアンバサダーのリーフスプリングに揺られて、一路、ある筈のスキー場を目指したのでした。

道路の両側は背の高いポプラ並木が続く。37km地点で街道を左に折れると、左右は何と水田で、米を作っているとのこと。今は冬で田には稲の切り株の他には何も無し。あのカレーライス用インド米の故郷だろうか？

TAXIの運転手は途中でガソリンを入れる為ガソリンスタンドに寄り、しばらく走ると今度はタバコを仕入れて一服、という具合にマイペース。当方も急ぐ旅でもないし、ドーゾ御自由に。

空港を出てから30分も走った頃か、右側に岡が見え始め、道は川（それも石がゴロゴロしている荒れた水量の少ない川で、雨が降った時のみ急流が流れると想像される）に沿って緩い登りに入る。いよいよ山に入るらしい……。それにしても雪が無いなー。いやいや、まだ30分走ったのみ。あと1時間半の行程がある。これからだ。（そーだ、そーだ）

道幅は、大型トラックのすれ違いは困難で、前方からトラックがスピードを落とさずに来るとアンバサダーでは勝負ができず、ヒヤヒヤしている他なし。

道端に妙なもの２つ。

【１】樹上の乾草の肉ダンゴ

鳥の巣にしては大き過ぎるし？

人間が樹上生活するにしては小さ過ぎるし??

一体何だろう???

「アレハ何カ？」

「アレハ草デアル」

「草ヲ何ニスルノカ？」

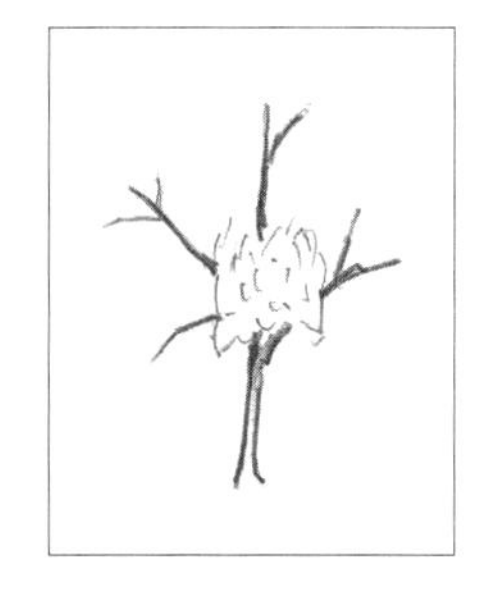

「食ベルノデアル」
「エ!??」
「牛ガ食ベルノデアル」
「緑ノ草ガ地上ニアルガ？」
「家畜ノ冬ノエサデアル」
　フーン？

【2】道端の丸い川原石

道端の石が丸い。一抱えもある石も丸い。皆、川原石のように丸い。川が流れそうにもない丘の上まで全ての石/岩が丸い。どうしてだろうか？　昔は川床だったのだろうか？　それなら、丘の上の石も丸いのは??

昔氷河の流れた跡だろうか??

どうして全ての石が丸いのだろうか??

（その時は疑問が解けなかったが、インド亜大陸がユーラシア大陸に衝突することにより、当時は川床であった場所が隆起したものと後に判明。図らずも、壮大な地球史の現場を見ていたことになる）

45分経過した。いよいよ山裾だ。デリーの平地と異なり、土地に起伏がある。横に見える尾根が斜めに空を区切っている。地平線ではなく、斜めの線だ。道沿いの小川の水は透明だ。粘土を含んだ茶色の水ではなく、底の石まで見える透き通った水だ。登りに入り、水田も斜面に沿って段々畑よろしく「段々水田」（「棚田」）となっている。このアンバサダー大丈夫だろうか？　聞いても答えは決まっている故、聞くだけ無駄、即ち「NO PROBLEM（問題なし）」也。

足元が寒くなってきた。

車は快調。そう、名車アンバサダーだ。

タンマーク（TANG MARG）の集落を通過。
オッ！　雪だ！　雪！　2㎝位うっすらと積もっている。
イイゾ、イイゾ、行け、行け、その調子。ルンルン気分だ。
それにしても脚と膝が寒いなー。
このアンバサダー暖房無いのかなー。
「旦那、旦那！」
何だ、ヒーター無いのか？　違う？　なんだ？
「もし大雪が降ったら、TAXIは奥まで入れない……その時は……」
何を言っているんだ。大雪でも降らなければスキーが出来ぬではないか。降れ、降れ、大雪！
「帰りは……」
帰り？　そんなの先のことだ。先ず雪が降らなくては。
「このTAXIで迎えに行けない……」
降れ、降れ、ジャンジャン降れ……??!!!
エッ?!　帰りのTAXIが来ない？　そんなー。
「大雪の時はジープでタンマークまで降りて来てくれ。TAXIはタンマークで待っているから」
それは無いヨ。ジープはどこにあるんだ？　タンマークの何処で待っているんだ？ Etc. etc.?　ウーン……。

えーい面倒。先の事迄心配するのは止めた。雪で帰れなければこれまた好都合。雪解けの来年3月（4月かな？）迄グルマークに缶詰でもよいではないか。帰りは帰りで、出たとこ勝負だ。それ行け！（所長と部長には㊙デスヨ）

霧が出てきた。いよいよ山道。左右つづら折りの道だ。松の木、モミの木などの針葉樹……こんな森林はデリーには無いなー……。山だ！　山！　インドにもこういう地方があるんだ

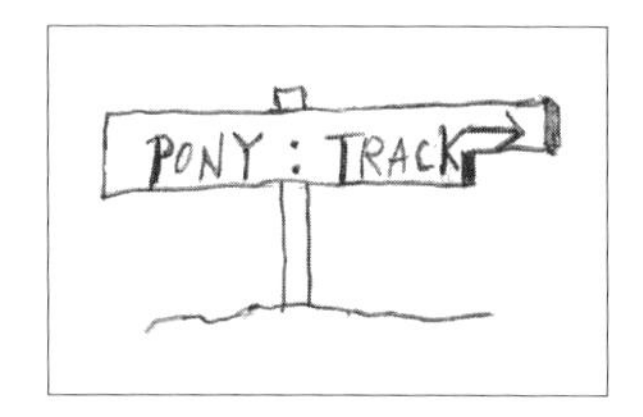

なー。昨夜降った４～５㎝の雪を踏み分けて山道を左右に登る。雪道の走行にはと……チェーン。そうだ、この車チェーン持っているのだろうか？……聞くだけ無駄かなあー。聞いてチェーン無いことが分かると余計怖いし、やめておこう……。

霧の中、雪を踏みしめ、アンバサダーは走る、走る……。何だ？　アレは？　馬の道？　そうか！　馬がある。自動車がダメなら馬だ！　TAXIが無ければ馬で行けば良い。（納得）

水分の多い雪が山かげに積もり出している。登れるかなー？　対向車だ！　大型のバス……あんなのが滑って来たら一巻の終わりだ。雪／松／杉——山腹を這う道。いいぞ、いいぞ、インドはいいぞ。（この変わり身の早さ）

風景が日本に似てきた。雪よ降れ。アンバサダーが滑らぬ程度に降れ。（そんなにうまくいくかなー？　ダメ元だ。ここはインドだ……影の声）

峠に来た。いよいよグルマークだ。さあ来たぞ！　雪だ！　スキーだ！　そして……これが今夜からのホテル、「PINE PALACE」。さてさてどういう事になりますか……泊まってみてからのお楽しみ。

「PINE」には、“やつれた”という意味もあるが、まさか??

第二幕 ホテル「パインパレス」の夜

ヤッタゼ！　とうとう60Wの電球を手に入れた！　大体この“ホテル”は何だ？　そもそも旅行会社がケシカラン！　貰ったスケジュール表の記載と実際の飛行機の出発時間が4時間以上も違うのだから全くケシカラン！

それに「ホテル」だ。「PIPE PALACE」などと書きおって。「PINE PALACE」の間違いではないか！　ホテルの周りは針葉樹林で松が多いから、PINE PALACEは分かるにしても、「パイプの宮殿」ではニコチン中毒患者の収容所か、パイプカット反対同盟の巣ではないか。

それにしてもこれはホテルか？　木造は仕方ないとしても、頭の上のガキども、ウルサイゾ！　バタバタ走り回るな！　明日は部屋を移るか……。

部屋の暗さはどうだ。あのままでは本も読めなかった。夜をどうしろと言うのだ。電気の制限があるのかも知れぬが、日が暮れたら寝るしかないのか？

もっと明るい電球は無いのかとボーイに聞いたらニヤリとしていたのも気に入らない。

そうだ！　日本人を甘く見てはいけない。洗面所の電球を外してしまえ、ということになる。これが60Wの正体だ。枕もとの5Wなど糞食へ。取替えてしまえ。NO PROBLEMどころかPROBLEM大有りだ。明日は街で100Wを買って全部取換えタルゾー。（全部は無駄かな？ヤメルカ？）

そうだなー。ホテルと思うから頭にくるのだ。山小屋だと思えばこれは立派なものだ。ダブルベッドはあるし、薪を焚くストーブもある……。

部屋に初めて入って、薪ストーブと昔懐かしいブリキの煙突……あの小学校の達磨ストーブの煙突だ……山小屋よりはましか？　ヒュッテか？　これ**アッ、何だ？　電気が消えたぞ、そうか分かったぞ、それでローソクが有ったのだ。何だこれは？　停電??　もう消灯時間??……………………………………………仕方がない寝るか……**

（暗闇の筆跡）

22：30電気また点く。面倒だ寝よう。外は小雪か？　明日のお楽しみ。ところでストーブで一酸化炭素中毒にならぬだろうか？　心配だ。死んだら新聞に載るかも。皆さん、ではまたあの世で。

お休みなさいGood night! ……

スースー、ムニャ、ムニャ夢の中。

我がホテル（ヒュッテ）の一室。ベッドもありストーブもあるのだが、なにせバラック建て。冬に対する備えが不十分の代物。

←薪ストーブ

さて、この調子で無事スキーは出来るのだろうか？
それは又次回のインド通信で。
1月24日 ジャンムー・カシミールのグルマークにて

《第4信 完》

今は昔、
年の瀬大晦日（おほつごもり）より一九八八年正月三箇日の間、天竺にてスキー試さむと、都、徳里（デリー）より雪を求め「克什米爾」（カシミールKASHMIR）なる地にわたりし男（をのこ）あり。この年降り積む雪また振るはずと言へどもさすが天竺、彼の男「マハラジャ・スキー」なるものに出遭ひてこれをいたく楽しみ堪能せり。しかうしてその宵、更なることには新加波より此の地を訪れし本朝の若き女人との出会ひもありと、なむ伝へたるとや。

1988年1月31日

日本のみなさま

ニューデリー在 大泉正城

第5信 インド大スキー行の巻 その②

さて、今回は予想以上に長編となり、それもスキーの場面の出てこない妙なスキー行、新年特別号よろしく大付録付きの2部作にわたる報告となりました。

果たしてスキーの場面の出てくるスキー行になるのか、ならぬのか、ご当地は印度であり最後迄分からない……何が起きても不思議ではない、これが印度の魅力です。また、ゴタゴタを含め色々な事が起きて退屈しないのが印度です。

今回も最初から寄り道ですが……。インドに多い牛様と同じく道草を……。

寄り道 ☞☞☞☞☞

この間、久しくやったことの無いネズミ退治をやったのです。そう、インドにもネズミは、勿論います。猫が十二支に入れなかったのもオシャカ様とネズミが絡んでいるくらい、インドとネズミは関係が深いのデス。

出たのです、チュー公が。それも何と小生が大切に、後生大事にしていた日本食を食べたのです。コンニャロメ！

普通日本人の駐在員家庭では「食糧倉庫」よろしく日本食を一カ所にストックしており、必要な分だけ取り出してコックに渡すようにしています。このチュー公は、この食糧倉庫を住居にせんと企んだ模様です。（チュウ国語が分からず詳細不明）

どうも年末年始、小生がスキーで家を空けていた間に倉庫に入り込んだようで、倉庫の戸を開けないのをよいことに、食物の山の中でドンチャン騒ぎ（？）をしていたようです。

それが、正月過ぎに小生がドアを開けたものだから、あわてて飛び出して来ました。最初は、ネズミか?!　と位にしか思わなかったのですが、アッ！　大事な日本食を喰ったと気が付いた瞬間、コノヤローと頭にきたのがネズミの不幸の始まりです。ドアを閉めてコックを呼び、２人でチュー公を追い回した次第です。

で……どうなったか？……。

そう、哀れチュー公は小生の手に持ったゴムゾーリで一撃ちアノ世行き。本当なのです。この国の動物はあの油虫（ゴキブリ）も含めて、少々敏捷性に欠けるようです。何故だか理由は分からぬものの……。

ゴキブリの動きも、サッサッサーという動きではなく、ウロチョロと動きます。一撃ちでひっくり返っているチュー公を、これまた貴重な日本製のビニール袋に入れてよく観察してみると、子供のネズミ位の大きさです。世間知らずの子供のネズミかとその時は思ったのですが、後で会社の同僚に聞いてみると、印度のネズミは概してチビネズミだとの事。どうしてネズミが大きくならないのか不思議です。或いは……もしかすると……貴重なタンパク源で……大きくなる前に……皆食べられてしまうのだろうか？　……。まさかー……。
さて、このネズミ。門番（ガードマン）を呼んで捨てさせたつもりだったのですがー、何と！　会社に行く前にフト門の前を見ると、捨ててあるではありませんか、門の前に!!　印度人は、かつての日本人もそうでしたが、それ以上におよそ公衆道徳がありません。何でもポイポイと道に放り出します。表通りはまだしも、「サーバント・ロード（使用人の通る道）」と呼ばれている裏道はひどいものです。
という具合で、少々興奮して出社し、近くの同僚を捕まえてネズミ退治の一件を話したのですが、印度に長いその同僚氏曰く、『印度は退屈しないでしょ、色々な事が起きて。1時間ごとに何か起きるから』──流石！　脱帽！　印度生活の達人！

第三幕 大晦日

さて、スキーの方、何処迄お話ししましたかな？　忘れた？「小雪がチラチラ＆某氏はスースー・ムニャムニャ夢の中……」というところ迄でしたね。

早くスキー場を見せろ？　まあまあそう慌てない。ホラ！　有ったでしょう？　スキー場が……。

証拠写真を……。

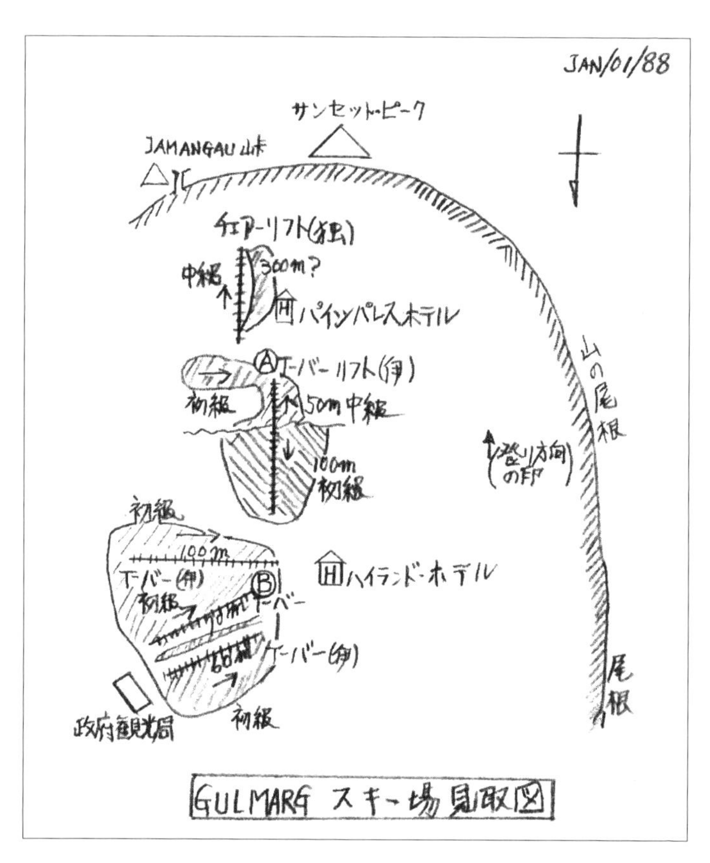

グルマーク（GULMARG：「花の牧場」の意）スキー場はインド第一のスキー場。

①リフト設備

チェアーリフト CHAIR LIFT（２人乗）

　＝１基（300m位か？）

Ｔ－バーリフト T-BAR LIFT

　＝４基（内３基はイタリー製の尻当て式）

ゴンドラリフト

　＝１基建設中（⇒インド通信【第14信】参照）

②コース

チェアーリフトの脇が中級コース

T－バーリフトの脇は初級コース（夏の間はゴルフ場）

③宿泊設備

外国人の宿泊可能な「ホテル」（ヒュッテスタイル）2軒

▽ホテルハイランドパーク（HOTEL HIGHLANDS PARK）40室

▽ホテルパインパレス（HOTEL PINE PALACE）15室

④貸しスキー／貸し靴

有り。貸し手袋も有り。要は全てのスキー道具（除く眼鏡）有り。スキーの板とストック＝1日50ルピー（約500円）

更に、とうとう出ましたねー。この写真に写っている人が彼のO氏です。

では、この写真に写っている人は？　よくぞ聞いてくれました。

そう、謎の人……。ここから「インドの」マハラジャ・スキーが始まるのです。

朝デース（1987年12月31日　大晦日）

先ずはと……雪はどうかなー？

よく分からんが枝の上に雪があるということは……降ったの

であろう？　でも大雪というほどではないようだ。今日もダメかなー？　山の上まで行けば滑れるかも。午前中は、昨日聞いた「七つの泉（SEVEN SPRINGS）」という所へ偵察を兼ねて行くか？　もし上に雪があれば午后はそこでスキーだ。

次にと……腹ごしらえ。
なめこの缶詰を開けて味噌汁を作って←サンヨーの携帯用ポット、昨日炊いたご飯をお茶漬けでサラサラと←KB君のラーメンポット。➡日本製電気製品カシミールで大活躍！

味噌／米は１食分をサランラップ／ビニールで包み、数食分を持参。どんな食事が出るのか、何が起こるのか分からぬご当地の事、A型人間O氏の用意の良い事！　瓶詰、缶詰何でもあるのダ。そうそう、昼食の弁当も作らねば。（←やり過ぎ）湯も沸かして水筒に入れてと……さあ外出だ。
ホテル（いや、ヒュッテ）で雪靴（日本でいう雨靴）を先ず借りて、次にポーター兼ガイドを雇い……そうそう、このポーター兼ガイド氏、彼等はホテルの外で客待ちをしているTAXIみたいなもの。昨日ホテル（いや、ヒュッテ）に到着した時、ホテルの外で待っていた一団が彼等なのです。
「明日はどこへ行くのか？」
「是非○○へ行くべし、俺が案内する」
「何時に来ようか？　ホテルの外で待っているから」
といったやり取りがあったものの、あまり本気にしていなかったのが正直なところ。ところが……居ましたねー。「番犬」よろしくホテルの前で待っていたのです。

そこで方針変更。午后に備えて先ずスキー道具を借りに行くことに決め、この人間TAXIと一緒にホテル（いや、ヒュッテ）を出た訳でアリマス。

ポーターだの、ガイドだの、不要と思ったのではあるものの、郷に入りては郷に従えと思い直して（それに料金も１日60ルピー＝約600円と格安……チップを加えても100ルピー以下）、雇うことにした次第。

という訳で、前出の写真に写っている「謎の人」がこのポーター兼ガイド氏なのです。いや、後で分かりますが、「従者」と言った方が近い。

かくして、サンチョパンサを従えたドン・キホーテ氏は、薄く雪の積もった山村の道をテクテクと歩いて行ったのです。

前方に人の列。おっ？　あれは何だ？　スキーを着けているではないか？　団体さんだな？　ということは……やったー!! 滑れるのだ！　そうなのだ、この為にグルマークに来たのだ。

♪♪ルンルン　♪♪ルンルン

でもこの雪で滑るのかなー？　構へん、構へん、ともかくスキーを履ければ良いのだ。イイゾ、イイゾ、早くスキーを借りて滑ろう。又、方針変更。午前中はスキーだ。道具を貸してくれるスキーショップ「SKI SHOP」は何処だ？　アソコ？　アレ？　ありゃ何だ？　まるで 馬小屋のような建物だ。ともかく近づいて、戸を開けるが……何？　本人のみ？「従者」は入れない？　インドの階級社会は徹底していてこんな山の中でも「差別」が存在している。

小屋の中はSHOPというより……スキー置き場というような建物であるが、スキーを借りる人達で一杯。ますますヨシ！滑れるという事だ。（「SHOP」＝41頁の写真に写っている山小屋）

えっ！　雪が少ないからスキーを貸さぬ?? 冗談ではない。コチトラはスキーをする為にはるばる日本から来たのだ。どうしてくれる？

「YOUR OWM RISK（自己リスクだよ）、ペチャクチャ」
当たり前だ、死んでも人や道具のせいにしないから安心してくれ。
「3日分、50ルピー×3＝150ルピー。雪が無くても返金しないが、良いか？」
当たり前だ、こっちには運命の女神がついているのだ、雪など直ぐ降る！　と言い切って、ともかくスキー道具借り出しに成功。

これで良しと。また計画変更して先ずスキーだ。ところで、どこで滑るのかな？
スキー場はここか？（ちょっと平らな&広い坂がある）
ポーター氏「ウンニャ。アッチだ」
そうか、そうか、よしよし。
もうスキーさえできればなんだって良し。
この岡を越えて……と。
（本信を書いてる途中で眠気が来る）
字が乱れる。

オッ！　リフト。T－バーリフト？　チャント有るではないか、動いてはいないが。ますます良し。こう来なくては。（現在地：スキー場見取図のⒶ地点）
ということで、O氏はそれからセッセと6回滑りました。

えっ？　リフト？　⇒動いていない。
それで、スキーで登った？　6回も？
いいえ？　どうやって登った？
足で登った？　？？？？？？

登場するのです。ここで。あの写真の「謎の人物」、即ちポーター兼ガイド氏が。

印度流「マハラジャ（王侯）スキー」 本邦初公〜〜開！

①ポーター兼ガイド氏⇒担いで来たスキー道具を降ろす。

②ポーター兼ガイド氏⇒ご主人様が靴を履いたり、締めたり、手袋をつけたりするのを手伝う。
③ポーター兼ガイド氏⇒ご主人様が滑り出そうとしているのを不安そうに見守る。
④ポーター兼ガイド氏⇒ご主人様がどうやら無事に下に着いたのを見定め、荷物を担ぐと坂をトットコ走って降りる。
⑤ポーター兼ガイド氏⇒下に着くと直ぐにご主人様がスキーを外すのを手伝う。
⑥ポーター兼ガイド氏⇒外したスキーを担ぐとご主人様の後をついて坂を登る。

第２回目：①〜⑥の繰り返し。

これぞ、「マハラジャ・スキー」なのであります。スンゴーク偉くなった感じなのでありました。かくしてO氏は大満足の大満足という次第です。

そしてスキー場には、雪が少なく運転はしていなかったのですが、立派なリフトもありました。
（でしょ？　証拠写真デス）
←チェアーリフト

午后デース

明日雪が降らなかった時の為に、山の上の方の状況を偵察がてらガイド（兼ポーター）氏の勧める「七つの泉（SEVEN SPRINGS)」とやらへ行ってみることにする。

普段歩いていないところへ、急に雪道のハイキング。心臓ドキドキ、息遣いハーハー。こりゃタマラン。しかし、うまく出来ていて、疲れてどーにも動けなくなると、道が平坦もしくは少し下りとなり助かる。

それにしても又臭う。息遣いハーハー。臭う。ムッ。苦しい。ハーハー。ムッ。ハーハー。ムムッ。道が臭うのだ。インドの道はどこも臭うのだろうか？　山に来ても。馬糞にしては藁臭くなく、人間の○○コのような臭いだ。

でも、人間にしては、道に沿ってずーっと大キジを撃ったことになるし……。

どうも分からん。ただクサイゾー、間違いなく。それにしても雪が少ないなー。

着いた!?　これが「七つの泉」？

6月～7月は勢いよく水が噴水のように吹き昇っている？　本当だろうか？

（今はただの湧き水）

でも、良い体験だ。山の空気はきれいだし。（途中少々臭ったが……）

今夜寝る前の鼻クソが楽しみだ。

☞日本並みに白いか？

☞やはり印度だから黒いか？

☞それとも糞塵色（黄色？）か？

……という事を考えながら、2〜3回スッテンコロリンと坂道で転んで山を下りたのでした。

やれやれクタビレター。ビールがウマイ!! 印度のビールはなかなかのものだ。（直ぐ心変わりする。）

さて、夜デース

本日は大晦日。ヒュッテ側（だんだんとホテルという気にもなってきた）の説明によると、今夜は特別にカシミール地方の音楽と踊りをやるとの事。何だか分からぬが、大晦日だ、聞いてみる事にするか。

という次第で、ヒュッテ（ホテル！）のバー兼ロビー兼ティールームに出掛けてみたのです。

左手奥には楽隊が。腰にピンク色の布を巻きつけているのは踊り手（男）。この踊り手が、目の前で踊ったらなにがしかの心づけを出すのが礼儀。あいにくその時財布の中は100ルピー札ばかり。「小便タイム」を取って逃げようとしたのですが、敵もさるモノ、とうとう100ルピー取られてし

まったのです。思い出してもニックキ奴め！

では、この夜Ｏ氏は100ルピー取られて落ち込んだまま寝たのであろうか？　ところがドッコイ、100ルピーのお賽銭は霊験あらたかだったのです。
そうです、違うんです、普段の行いが。かのＯ氏は。
皆さん覚えていますか、大分前のインド通信？　ほら、あのボパール（実際にはインドール飛行場）で、某商社の駐在員Ｏ氏、日本の女性に会いましたね？　一人で旅をしていた昭和女子大学の講師の先生。（⇒インド通信【第１信】参照）

そーなんです。今回もまた日本の女性がいたのです。このＯ氏は、どーいう訳か一人で旅をしていると、妙なところで日本の女性と出くわすのです……果して、運が強いか、弱いか？
今回も若い日本人の女性でした。日本の女性もすごいですねー。一人でどんどんインドの内部に入って行くんですから。
「日本の方ですか？」
という声で振り返ると……いましたねー、彼女が。
（結局彼女がグルマークで出会った唯一の日本人でした）

で？　どうなったのか？　続きを聞きたい？　大分頁数が増えてきましたネー……又次回にしましょうか……。
（ちょっと〜〜、待った！）

紹介されたのです、彼女に。彼女のフィアンセだそーです、彼は。

彼：スコットランド人。シンガポールで英語を教えている。
大男。
彼女：シンガポールで日本語を教えている。

のだそーです。シンガポールとインドの関係？　まあいいや。オヤスミ。

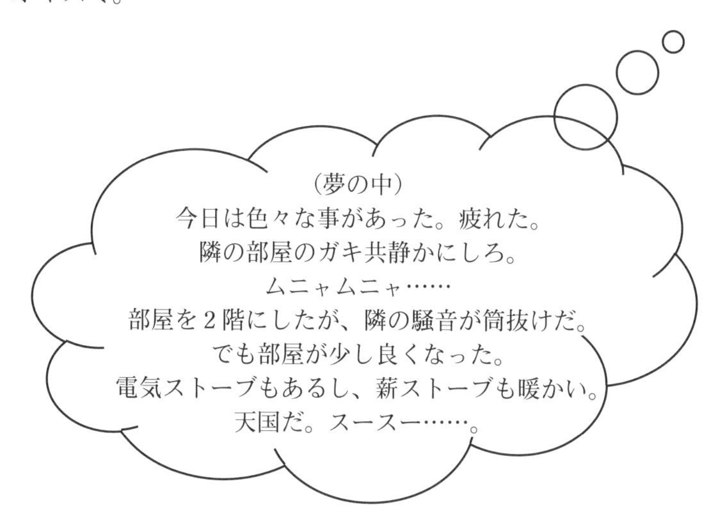

第四幕 カシミールのお正月と思い出

カシミールの元日（午前）

持ち込んだ「お正月料理」（お茶漬けご飯、わかめ＆なめこ入り味噌汁、コンビーフ、さんまのかば焼き、きゅうりのキューちゃん、小梅、のりの佃煮、麦茶など）を食べた後、改めてグルマークスキー場を視察し、意外に多くのＴ－バーリフト（４基）が存在する事を発見。しかも、牧草地は雪が５㎝も積もれば滑れる状況でした。

更に、グルマークのもう一つのホテル、ハイランドホテルも見学。ヒュッテ風の良い設備（バス付）でしたが、料金が高く、2.5倍以上でした。

カシミールの元日（午后）

スキー場見取図のⒷ地点（牧草地）で８回も滑り、“ヒマラヤ・スキー”で大満悦。

１月２日

予定では、１月３日にグルマークを発ち、スリナガル経由でデリーに帰ることにしていましたが、雪が少なく、ここはむしろスリナガル見物にと切替えて、１月２日グルマークを発ったのでした。

山の中で急遽予定を変更し、スリナガルよりTAXIも呼んで帰って来た次第。今から考えるとよく連絡がついたものです。

グルマークのホテルでは（今では、あれはあれなりにホテルだなーという気持）、ホテルのボーイが、動き出したTAXIを追いかけて来て、浴室に忘れたＯ氏の洗面セットのバッグを届けてくれました。また一つ印度の良い思い出が増えました。

冬のスリナガルは、気候は寒いものの、季節外れの為、かえって静かな雰囲気を楽しむことができて、これまたGOOD！でした。

エピローグ（ヤッタゼ！）

お湯が出～～る！
それもバスタブ一杯に、最後まで熱い湯だ！
１回に沸かせる湯量の限られている、デリーの家の瞬間湯沸器（ギザと称している）に頼る風呂では、とても味わえな～～い贅沢。
もう一度首まで浸かって、お湯で体を温める。
「イーイ湯だな♪」というのは正にこの事だ。

（SRINAGARのホテルにて）

ダル湖（SRINAGAR）

ムガール庭園（SRINAGAR）

付録（新聞によれば……）

ジャンムー・カシミール州のお寒い電力事情
ジャンムー発12月31日—
雨の降らない期間がこのまま続くと、ジャンムー・カシミール州の電力事情は更に悪化するかも知れない。州政府の報道官によれば、「雨が降れば大変助かる、雨は電力事情の改善に寄与する」と。

やはり今年は雪が少ないようです。

山で雪が少ないと、春先から夏にかけて、水不足、地下水水位が下降等の問題がまた出ることでしょう。

《第5信 完》

今は昔、
都、徳里（デリー）の辰巳（たつみ）（南東）の彼方百里余り（400㎞）の地に「勒克瑙」「ラクナウ（LUCKNOW）」と呼ばるるところありて、ウッタル・プラデシュ州（「北の地方」の意）の州都なり。彼の天竺に遣ひせし男（をのこ）の常得意たる「印度国鉄」の「鉄道技術研究所」はこの地ラクナウに在りて、男しばしば遣ひす。都より至るに空路半刻ばかりを要す。如月の或る日、この男ラクナウに赴かんとして都の空港にて二刻ほども待たされやうやうラクナウに到りし後も、その地の駕籠かきとのひと悶着を始めとして、天竺ならではのをかしき事、あんにたがふ事など次々出で来たりて、所在無き心地つゆも覚えざりしと、なむ伝へたるとや。

1988年2月12日

日本のみなさま

ニューデリー在 大泉正城

第6信 インドは【ワープ】と【寄り道】での巻

天気予報 2月13日
概況：一部曇り空で雷雲が発達する可能性あり。夜間の気温には大きな変化なし。
最高気温：23.6℃（前日比＋1）

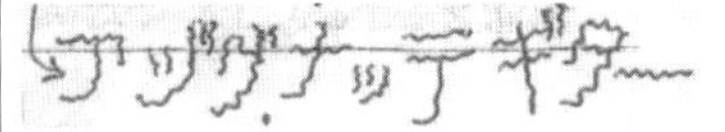

最低気温：13.2℃（前日比＋3）

今号が皆さんの手元に着く頃は、2月も末に近くなっているでしょう。早いもので、小生が当地に赴任してから半年を超えました。

この調子で時間が

経過するとアッという間に任期が終わってしまいそうで、そろそろ纏(まと)まった仕事を形づくらないと、過ぎてみたら何も残っていなかった、などという事にならぬかと気になり始めています。

さて、今回はインド通信「本来」の姿に返って、まずインドの最近の話題（＝状況）を見てみましょう。

年末から新年にかけて新聞を定期的に騒がせているのは、かつてのボフォース（「BOFORS」：スウェーデンの有名な鉄鋼、重機、武器製造会社、日本の三菱重工のようなもの。この会社のインド向け武器取引をめぐる、インド版ロッキード事件）ではなく、以下の記事です。

（ボフォースの方は、時々チラチラ見かける程度になってしまいました）

〈話題 1〉

デリーの爆発で５人怪我
ニューデリー、12月25日
今夕、新しく建設されたザキラZAKHIRA橋の下で爆発した爆弾で、警察官３人と側を通りかかった２人が負傷。

BJP leader, 12 others killed

BARNALA, Jan. 22 — Terrorists today shotdead ten people and seriously wounded another in this otherwise peaceful town, while in Ludhiana・・・

つまり毎日どこか（特にパンジャブ州）で、爆弾騒動や、テロリストが殺したり、殺されたりしています。

パンジャブ州のバルナラBARNALAという普段静かな町では、テロリストに撃たれて10人が殺され、１人重傷、又ルディアナLUDHIANAではBJP（政党）の指導者がテロリストに殺されています。

かくして、今年の1月だ

けでもパンジャブ州では207人が犠牲になっています。

あまりに連日事件が発生するので、偶々(たまたま)事件の無い日があったりすると……。

『パンジャブ州はこの日平穏』

この記事のように、何も無いことが“パンジャブ州はこの日平穏”と「事件」になったりします。

当地で毎日こういう記事を見ていると、初めの内は物情騒然か、とも思うのですが、その内にただでさえ人口が多いのだから少々数が減った方がインドの為には良いのではないか、などと不謹慎な考えが浮かんできたりします。

『「インド平和維持軍」（IPKF）の兵士６人が殺され、27人の「タミール・イーラム解放の虎」（LTTE）の男達を捕縛』
12月24日の夜、インド平和維持軍（IPKF）の駐屯地でタミール・イーラム解放の虎（LTTE）の仕掛けた自動車爆弾が爆発し、IPKFの兵士６人が殺され、８人が負傷したと当地で公式に発表された。

これまた同じく人が死んでいますが、こちらの方は、パンジャブ州を中心とする状況とは異なり、スリランカの人種・宗教問題が絡んだ事件で（1983年よりスリランカで内戦が勃発し、インドから平和維持軍が派遣されている）、やはり「定期的」に人が殺されたり殺したりしています。スリランカの多数派を占める仏教徒のシンハリ人（全人口の７割）と少数派のヒンズー教徒であるインド系タミール人の争いに係わるものです。

このように「インド」の中で様々な抗争がある訳ですが、そもそも「インド」は一つであるべきなのか、「インド人」と簡単に言うが、インドという「民族」は本来的に存在するのかという、この国にとって基本的な命題が存在します。

インドの多様性について語られる機会は多いものの、インドの統一性を語ることは非常に難しいせいか、普通インドについて書いている本の中に現れて来ません。偶に気が付く人がいても「次の機会に」と逃げているようです。我々日本人は、逆に何か纏まりが存在する筈だという先入観が有るので、多様性に触れた時カルチャーショックを味わうことになるのかも知れません。

「民族」というものが、同一地域に住み、共通の言語を話す同一の文化を共有する集団とした場合、明らかにインドの場合「インド民族」という民族は存在しませんし、何か妙な語感が伴います。

敢えて言うならば、植民地本国の英国に対応するものとして「インド」が存在しているとも言えます。こういう状態（偶々イギリスの植民地としての共通性に基づく民族の雑居状態）からすれば、アチコチで紛争が発生するのは当たり前であり、強権を発動すればするほど不幸が爆発することになります。

そして、この問題に真面目に取り組むと、マハトマ・ガンジーのように命を以ってその純粋性を示す必要が出てくるようです。

ワープ！（ワープロではありません。「ワープ」です）

ここは、デリーの国内空港です。**ドウシテー？** ワープしたのです。

〈２月12日（金）11：00　デリー空港〉

この「通信」に度々登場する某商社のデリー駐在員Ｏ氏にご登場願いましょう。

〈彼はデリー空港で何をしているか？〉

待っているのです。出る筈の飛行機を。

〈それで飛行機は飛びそうですか？〉

貴男（貴女）は印度の事がまだあまりよくお分かりでないようですネ。分かる筈がありません。飛行機が飛ぶかどうかなどという事は。考えてはいけない事なのです。何が起こるか分からないところに印度の魅力があるのです。彼は今ワクワクと胸をトキメカセテ何かが起きるのを待っているところなのです。待つ事など何の苦にもなりません。

デモ、ナガイナー、8：30から待っているのだ。キャンセル待ちリスト17番……ダメかと思ったら、「MR.Oijumi?」と来た。（Oizumiと言え、Oizumiと）
やっと席が有ったと喜んだらこの始末。
何が起きるか、最後まで分からん。

そう、彼は今インド国鉄の「鉄道技術研究所」のあるラクナウLUCKNOW（デリーの東南東約400kmに位置し、デリーより空路約1時間。ウッタル・プラデッシュ州の州都）という所へ行こうとしているのです。今のところ「BAD-LUCK-NOW」（不運）ですが、「GOOD-LUCK-NOW」（幸運）を期待しているところなのです。

何だ?!　これは！（隣の椅子にあった新聞を断りなく頂く。インドの良いとこ）

ボパールに国際線間もなく乗り入れ

ボパールに間もなく国際線乗り入れ？……。もっと先にやる事があるのではないでしょうかネ〜……。どうも分からん、インド（人）のやることは。

（だから面白いのだ。インドは。そうだ。そうだ）

皆さん、あのインド通信【第１信】を覚えていますか？

ボパールに行って帰って来るのは大変なことなのです。国内線だって、乗ってみるまでは分からない。飛んでみても分からない。降りてみてもまだ分からない。不思議の国のインドなのです。そんな事はどこかに置いて来て国際線を飛ばそうなんて言うのですからねー。

寄り道1 ☞☞☞☞☞

そう、冬の印度デリー、これは素晴らしいところです。あの暑さから一転した素晴らしい気候……なのですが……駐在員泣かせがこの飛行機の発着時間とキャンセル問題。来る筈のお客が着かない、飛ぶ筈のお客が舞い戻って来る（ホテルはチェックアウト済み、しかも満員）、飛行機が行方不明などなど予定が立たないのです。某メーカーでは、社長がデリーに来た時、万が一に備えてボンベイにも社員を待機させたのです。（流石、H社ＴＢ所長！）

冬のデリーは朝晩霧（本当に霧なのか今もって分からない、何かモヤモヤした空気がデリーの上空を覆っているのです）が発生し、その為空のダイヤはいつも大幅に乱れます。日常茶飯事なので新聞にも載らない、という状態なのです。従って皆さん、冬のインド訪問/出張は余裕を持ったスケジュールにしないと大変な事になります。

勿論汽車で行く手があります。この間同居人のKC君と二人で、今行こうとしているラクナウ迄汽車で行ってみました。どうして今回は飛行機か？　そう、それには理由が……。また何時か「ラクナウ汽車の旅」をご紹介しましょう。

〈11：40　デリー空港〉

表示を見ると出発予定が12：15⇒12：30に変わっている……。「15分」という管理が本当にできるのだろーか??

寄り道2 ☞☞☞☞☞

デリーの霧の正体は何か？　不思議とこれが新聞種にならないのです。多くの日本人は、デリーの街の中及び近郊にある火力発電所のモクモクとした黒い煙と、車検の無い自動車、特にバス・トラックが**ブワー**と出していく排気ガスがその正体？　と思っています。

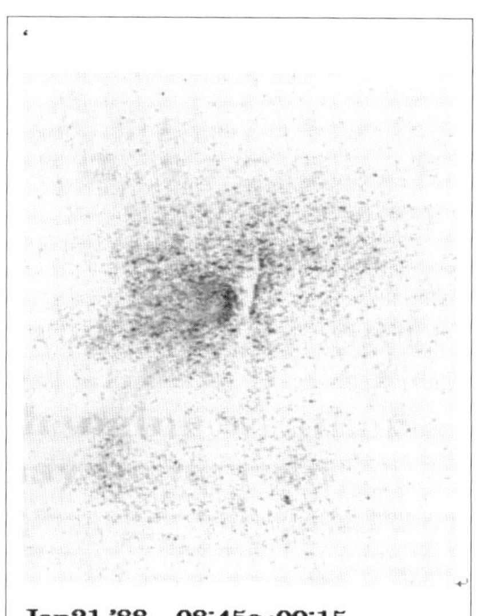

Jan21,'88　08:45～09:15
1'X 1'

1月21日、その正体の尻尾をつかんだような事態が発生しました。いつもの通り出勤しようと玄関を出ると運転手が情けなさそうな顔をしています。見ると車が真っ白です。イヤ、元々白い色の車だから……何と言ったらよいのか、つまり、ホコリだらけの状態です。

どうしたのかと聞くと、車を洗ったばかりなのにもうこんな状態になったという訳です。そこで物好きなO氏、早速ビニールの袋（あの、大切にしている日本製）を持って来て、車の屋根の1フィート四方のホコリを集めたのです。

わずか30分の間です。風向きの具合で火力発電所の煤煙が飛んで来たようです。鼻毛が長くなる筈です。

〈11：50　デリー空港〉

再びセキュリティーチェックを受けて待合室へ。（あまり変わった事が起きないなー）

外を見ると……ウン、今度は飛行機が有る（居る？）。朝は見えなかった飛行機が何機か見えるぞ。機数が不足しており、始発でない場合は、先ず始発の空港で飛ばないと後の方は次々とダメになる。

色々アナウンスしているが、何を言っているのかよくワカラン。こういう時は同じ飛行機に乗る奴（あいつが良いかなあ……？）を見つけ、そいつが立ったらワタクシも……というのが最も良いが、インド人は信用できるかなあー？　何だ？　あいつ俺の方ばかり見て？　俺が立ち上がると……アッ、あいつはお上りさんだ。ダメ！　別の奴を探そう。

⇒再び**ワープ**で「最近の話題」の次元に戻ります。

〈話題Ⅱ〉東の風は恵みの風か

変化しつつある天候は雨をもたらすかもしれない
ニューデリー、2月8日
今日確認された東からの風は雲が発達する確かな兆候と思われる。

「デリーには固有の気温が無い」というのは、我が事務所の彼のチョプラ氏が何時も言っているセリフ。つまり、彼氏によれば、デリーの気候/気温というのは山（ヒマラヤ山脈）で何が起きているかに左右されるのであって、デリー自身のものではないそうだ。そこで、今「山」で何が起きているか？　物覚えの良い人は分かりますよねー？　貴方は？　分からない？　物覚えは悪いが、頭は良い？　そういう人いるかなー？　私もインドボケしたかなー。まあいいや。

そう、インド通信【第５信】（インド大スキー行の巻 その②)、つまり前号にありました。山に雪が少ないのです。山に雪が少ないという事は……非常に心配すべき事なのです。最近の状況を見ていると、心配を通り越して、ジワジワと恐怖感が湧いてきます。

デリーの電力危機 6時間停電
ニューデリー、1月30日

夏に停電ならまだしも、冬の今頃からもう始まり重苦しさも数倍。当家も勿論停電。そこで、前の駐在のインドネシア時代には未使用のまま、今回又インドに持って来た、食卓を飾る翠(みどり)色のローソクを取り出して、「ムード」のある？　中で食事をした次第。

丁度Ｏ氏の会社の社長がデリーに来ていた時でもあり、駐在員一同社長のインド滞在中に是非停電が起きて欲しいと密かに「期待」。会議中という一番効果のある時に発生して欲しかったのですが、残念乍ら一同の「期待ムナシク」その間は電気が煌々としており、皆胸の内でクソタレDESU（デリー電力局）め！　大事な時にとブツブツつぶやいていました。

でも、その後社長が外出から帰られた時は停電の最中という事で、皆でヤッタ！　ヤッタ！　と喜んだものです。

（でもよく考えれば変な話ですねー）

事務所で停電が起きると、

①ファックスが止まる。（これはパソコン用の非常電源を共用することで解決しましたが）

②コピー機が止まる。

③電動タイプライターが止まる。

④それにー…アノー…思い切って言ッチャウ。出しかけのオシッコが止まる。何しろ急に真っ暗になるのですから……。

更に困ることに水の心配も出てきました。

首相、デリーへの供水の増量確約をうながす
（インドでは農村vs都市の水の配分は政治問題という背景あり）

今年の夏は大変デスヨー

という訳で、皆今から戦々恐々としている始末です。

駐在員も、座していては「死」を待つばかりと、インバーター付きバッテリー（自家発電は音がうるさく、又旦那の出張中女性の手では動かしにくい為、実際的では無い）を買って貰うべく、会社に対し要請することになりました。

エアコンは無理ですが、最低、冷蔵庫、扇風機、一部の照明を数時間確保しようと動き出した次第です。

オシッコを出したり止めたりすると膀胱炎？　にナッチャウ。これは人権問題デスヨネー。

〈インドの水と電力の関係〉

インドの農業には灌漑が必須で、あのB重電機会社のハリドワールHARDWAR工場出張の際にも、デリーの郊外に出ると運河をよく見かけます。

> 脇見：乗客＋荷物の積載過剰の乗合バスが時々その運河に落ちて、死者が多数出たりすることも珍しいことではありません。

これが旱魃ともなると、運河の水も不足し、ポンプで地中の井戸水をくみ上げる灌漑の比重が増し、農業に対する電力需要が更に増加して、不足している電力をどの分野に優先して回すかという事が政治問題になります。

一方旱魃の為地中の水位は下がっており、今や20ｍでは不足し、井戸も30ｍの深さに迄パイプを打ち込む必要が出て来て、増々電力が必要になります。更に、川や運河の水位が下がり、水の分捕り合戦の様相も呈してきています。

都市部のデリーでは、普段昼間は水道の水が出ません。給水ストップです。そこで、夜間に自前のタンク（地下・地上・屋上）に水を貯め、昼間の給水は自給自足。

電気が止まれば、Ⓜ（モーターポンプ）は動かない。屋上のタンクが空になったら……。

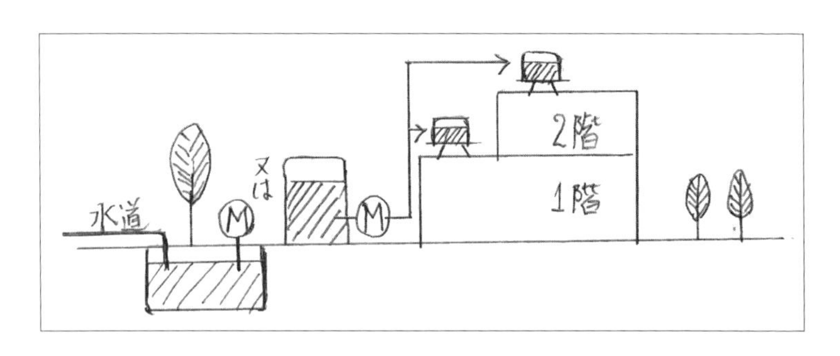

寄り道3 電気といえば……☞☞☞☞☞

2月2日朝、起きて部屋のスウィッチを入れた瞬間にボンと音がして電球が爆発した。会社に遅刻するかも知れないが、電球を替えることにする。替えながら気が付いたこと。
⇒当地の電気の傘は殆どが上向き。これは、どうも……「間接照明」が目的だけではなさそうだゾ。

上向きだと光がどうしても上方向に向かい、下方向は暗くなる。今迄どうして傘が上向きなのか理由がよく分からなかったが、今回判明。即ち、爆発しても破片が落ちずに傘の中に留まるから、という生活の知恵ではなかろうか？（邪推？　皆さんのお見立ては？）でも、何故爆発するんでしょうかねー？

⇒再び**ワープ！**　デリー空港次元です。

〈デリー空港12：10〉

待合室を出て機内へ向かう。風がかなり強い。珍しい事だ。空に雲が出ており土埃もひどい。

〈デリー空港12：30〉

機内から窓の外を見る。雨だ！　雨です！　とうとう降りました。恵みの雨になるか？（すこし少ないなあー）「東の風は恵みの風か」、やはり何か起きます。インドというところは。

今頃雨が降るという事は大変な事なのです。大事件なのです。

〈14：00 ラクナウの街の中〉

（空港のオンボロタクシーでホテルに向かうところ。ホテルで

少しマシなタクシーをチャーターして「鉄道技術研究所」に行くのが通常のコース）
やっぱり起きた！　インドだ！　なーんだ、パンクかー（あまり大した事件でもないなー）３分間でタイヤをチェンジ。大したものだ、手慣れている。何だ？　この水。ラジエターの水が漏れているぞ。早くホテルに着かないとヤバイゾー……不安になり始める。再び走り出す。

〈14：06 ラクナウの街の中〉
再びパンク。来たぞ！　来たぞ！　インドだ！　そろそろ「本物」の感じがしてきたぞ。面白くなってきた。
どれ？　様子を見るか……。トランクの中に何とタイヤが２つも入っている。用意のいいことだ。

「ペチャクチャ、ペラペラのペラ」？？？
どうしようもない？　フンフン、人力車で行け？
そりゃ行ってもよいが、人力車はHOW MUCH？（いくら？）
10ルピー（100円）程度？　まあそんなところか。
「じゃー、タクシー代、50ルピーだ」
（ホテルまでは従来70ルピー）
「旦那、旦那、タクシー代は、今は80ルピーだぜ」
「ダメ。ホテル迄なら払うが、まだホテルに着いていないではないか」
カンカン、ガクガク、ペチャクチャのクチャ。

オヤー？　人を集めたなー。アタシを脅すつもり？
面白い。やろうではないか。
「みんな、この旦那はケチだ」
（と言っているのであろう。何語か知らんが）

「ホテル迄の代金80ルピーを払わない。ペラペラ、クチャ、クチャ……」
「ここは何処だと思う？　ホテルか？　道路ではないか？
　タクシーがパンクしたのは俺のせいか？　誰のせいだ？
　ホテルへ連れて行け、そしたら払うぞ。そうだろう？」
「…………」
　ほら見ろ、みんな行ってしまった。
　おやー？　別のタクシーを停めたぞー。
　あれに乗り換えろというつもりかな？
　ありゃー、タイヤを借りたぞー。
　という次第で、再びタイヤを装着してホテルに着いたのでした。

〈14：30 ホテル〉
　ホテルでタクシーをチャーター。鉄道技術研究所へ向け出発。1日（8時間）／80㎞で250ルピー（約2,500円）。
　やはり車はこうであらねばならない。あの空港タクシーのオンボロのひどかった事。

　ウーン、それにしてもこの車は（も）アンバサダー。ワタクシの「標準」も落ちたかなー？　大分インド化したか？
　ん？　ということは……女性を見る目も落ちたかなー？
　日本に帰ったら、皆美人に見えるかも……。そしたらどうしよう？（カンケーないし、余計な心配ダ）

　バン・バン、ガタ・ガタ・タタタター（プップー　←後ろの車）
　おや？　調子悪いぞ？　何だこの車もダメかー？
　仕方ない。今日はBAD-LUCK-NOW（不幸）で始まった。

⇒ワープの壁が破れ、又「話題」次元に不時着。

〈話題Ⅲ〉

インフレで物価上昇傾向、要注意

早魃の後遺症は当然物価問題。確かに色々モノの値段が上がり始めている。

旱魃が穀物価格を押し上げる

毎年予算編成時期であるこの時期は、物価上昇の時期でもあるようです。つまり、予算の行方により公共料金のアップが国会での議題に上がってくる為のようである。

⇒日暮れの**ワープ！**

〈18：15夕方のラクナウ次元〉
（鉄道技術研究所　所長秘書室内）
来週のアポイント取得の為に、研究所の所長の帰りを待つこと15分。
リーン、「イエッ・サー　YES, SIR!」、そら来た！
あの応答振りからすると、相手は所長（DIRECTOR GENERAL、つまりエライ人）自身だ。……帰ってこない……。
BAD-LUCK-NOW（ご不幸、ご愁傷さま）

〈18：35 ラクナウ空港〉
再び空港。出発まで2時間もあるなー……どうしよう？
「あのー IC436の出発時間は時間通りかねー？」
係員がカウンターの向こうで急に血相を変え、やにわに引き出しを開けてチケットを取り出し、
「I will give you（ホレ、切符だ ペラペラ……前の飛行機）」
ナニナニ？　前の便？　しめた!!　前便がまだいるらしい。
（前便17：15発予定。）

ありがと～！　ありがと～！　それ！！　急げ！
セキュリティーチェックへ急げ！
……ルンルン♪。GOOD - LUCK - NOW（幸運）だ。
良かったね？　いやいやまだまだ。ここはインド、家に着く迄まだ何が起きるか分からない。家に着いても停電かも知れないし……水が出ないかも……。

しかし乍ら、これ以降は特に何も起きませんでした。
もう十分？　そう、日本だったら十分すぎる位今日も色々な事がありました。
面白いでしょ？　インドは。興味ある？　私の後任に推薦しようか？　貴方を。

又ね！

追申：
次回は相当後になるかもね。何しろ来週は総勢8人＋1人のお客が。それに、2月29日に大きな入札があります。

《第6信 完》

今は昔、
天竺の都の只中に、この地の宗門「ヒンズー教」の尊ぶ聖なる山の名をなづけられたる高殿「カイラーシュ KAILASHビル」ありて、彼の男（をのこ）あさなあさなに四楼（４階）に在りし出仕所に出仕す。閏戊辰（うるうつちのえたつ）（昭和六十三年、一九八八年）の如月晦日（きさらぎつごもり）を明今日（あくるけふ）（＝あした）に控へ、この日間日（まび）（＝休日）なれど男本朝より天竺に出で来たりし男ら五人と共に、高殿四楼（＝ビルの４階）の出仕所にまかり出でにけるが、とば口（＝玄関）前にまこと異なものあるを見出だし、「こはいかに」と急ぎ卦を占ふと、なむ伝へたるとや。

ご注進！　ご注進！

1988年２月28日

日本のみなさま

ニューデリー在 大泉正城

第７信　ウンがつくか？　ウンのつきか？　の巻

明日は当デリー事務所の車輛グループにとって久々の大型完成車輛案件の入札がある日なのですが、又又起こってしまったのです。

インドならではの「大事件」が……。

果たしてこの事件は明日の入札にとって「ウンがつくのか？」はたまた「ウンのつきか？」

今このデリーには、入札準備の為、メーカーからの出張者が８名、そして東京の車輛貿易課よりのＴＢ課長を入れると何と

9名の出張者がいて、本当は天手古舞なのですが、これはどうしても皆さんに敢えてご注進の筆を執らせるに足る大事件なのです。何となれば、明日の入札の運命を制する大事件なのですから。（もっとも御当地では、日常茶飯事と言えばそれまでなのですが……）

一体全体何が起きたか？
それがですねー……あっ、貴方はもう昼食終わっている？　まだ？　先に済ませた方が良いカモ。

背景

連日入札準備で大忙しの某メーカーの人4名、東京からの出張者ＴＢ氏、それに「時々」このインド通信に顔を出す某商社のデリー駐在のＯ氏の合計6名、昨日の土曜日についで、この日曜日もご苦労様なことに朝から出社の途上にあります。

現場

某商社のデリー事務所入口前。この商社のデリー事務所はビルの4階にあり、普通は階段を歩いて上ります。

Q何故エレベーターを利用しないのか？
A来ないからです。
Qなにが来ないの？
Aエレベーターが。
Qどうして？
A愚問です。インドだからです。

事件

そうなのです。見てしまったのです。とぐろを巻いていたのです、そいつは。事務所の玄関のマットの上に。えっ？　蛇？

違うんです。あのーですね……そうなんですよ。〇〇コなんです。どうしてそんな所に……と言われても困るんです。そこがインドなんです。

赴任以来既に7カ月近くになる某商社の「インド通」ホームズ（O氏）にご登場願いましょう。

Q犯人は？
Aまず人か、それとも、何か別の動物か考えてみる必要がアル。
Q人だとすると……？
A決まっています。我々、いや某商社に敵意を抱いている人物でアル。
Qその～……分かりませんね～。
A決定的です。明日は大事な入札日です。つまり一番の競争相手であるビービーシーという会社、いや間違い、人物である。
Qというと……？
A分かりませんか？　その某商社の見積はクサイ見積だということを鉄道の人に印象付けようとして、夜忍び込んだが果たせず、見積書の上にウ〇コをする代わりに、玄関マットの上に残していったのである。
Qフーン⁇（糞ーン）ところで、もし人間以外の何者かとしますと、ホームズさん？
Aそういう可能性は少ないが、敢えて推測するとマットに鍵がアル。
Q分かりませんねー。
Aこんな簡単なことが？　犬です、犬。
Q犬が⁈
Aそうです。貧しいインドでは犬は夜盲症にかかっており、

　マットを芝生と間違えたのでアル。
Q糞ーン？
A貴方も大分分かって来ましたネ。

果たして、この事件の結末は……。
それは入札の結果が示します。
お楽しみに……明日を。

頭を切り替えてリフレッシュでもしないとネ……。
では又。

《第7信 完》

今は昔、
本朝五月、すなはち「風薫る五月」と世に言ふ若葉かぐはしきをりなるが、彼の男(をのこ)の住まひし天竺にては時に大風吹き荒れ西の彼方の荒れ地（タール砂漠）より出来たる砂塵舞ふ、時節の変はり目（モンスーン到来の先触れ）なり。このすさまじき時に至るひと月ばかり前、彼の男(をのこ)、あさゆふ出仕せる高殿（カイラーシュビル）にさし並ぶ楼閣より火出で来て出仕所より逃れ退きしことありと、なむ伝へたるとや。

1988年5月1日

日本のみなさま

ニューデリー在 大泉正城

第8信　近頃インドでは……えっ隣が火事？　の巻

5月になりました。

いよいよ当地も本格的な夏を迎えました。初めて印度で夏を過ごす小生としては、毎日の気温が非常に気になる季節です。

大体のところ、昼間は40℃前後、夜間は30℃前後というところです。

天気予報 5月1日
概況：一部曇り空で所により雷雲が発達する可能性あり。
昼間の温度は大きな変化なし。
最高気温：39.2℃（前日比＋1）
最低気温：30.2℃（前日比＋7）
日曜の日没：午後6：56
月曜の日の出：午前5：40

部屋の中は、昼間の太陽で屋根や壁が熱を蓄積している為、大体33℃位になっており、朝までずっと同じ位の温度です。寝室は、従って、寝る時はルーム・クーラーをかけっ放しにしており、27～28℃位にして寝ています。

５月は又、「サンド・ストーム（砂塵嵐）」とやらがやって来る季節なのだそうです。日本では、土埃というと春一番と共にやって来る凄い土埃くらいしか想像できませんが、当地の方は「もの凄い」が５回以上重なる凄さです。この間そのハシリが来ましたが、強風と共に雷雨の時のように空が暗くなり、一面土埃。車もライトを点け埃の中を10ｍ～20ｍ位の視界で走るという有様。

ニューデリーという街は、20世紀の初めに（それ迄は英国東印度会社の根拠地のあったカルカッタが首都)、英国が旧デリー（今のオールドデリー地区）の南側の土漠の中に造成した街なので、周囲は緑の少ない乾いた土地であり、特に西方には本格的なタール砂漠があることから、これが、５月～６月の季節風が埃を巻き上げる際のホコリの無限の供給源となります。

かくして家の中、事務所は土埃でザラザラ。１日で机の上が真っ白になり、東京から送って貰う様々な書類も数日経つと、日本であれば２～３年経過した書類のように、貫禄が付いてきます。そうすると反故（ほご）紙のような外見となる為、何か読まないでも良いような気分になりついつい放っておく雰囲気が生まれます。（要注意ですよ、デリー駐在員には。わざと埃の被り易い窓際に置くかも知れませんよ、貴方の折角のレター）

それにしてもインド人は凄いですねー。こういう反故紙のような書類の中から３年も５年も前のクレームをせっせと見つけ出して「ドーシテクレル？」とダンディーＫＤ君あたりに凄んでみせるのですから。インド人はインド人が大切にしている牛様のように物事を反芻する能力に長けているのでしょう。

話を元に戻して埃の話。
そしてすぐ又脱線：

「ホコリとホコリ」
インドが埃ッポイのとインド人がホコリ高いのとは関係はあるのだろうか？

従って、この季節は少々風があっても窓を開放する際は、空模様をよく確かめないと、「部屋中ホコリだらけ」という事になる。
どうせクーラーで窓は閉めたままではないか？
そう、そう思っていた。インド駐在初心者のO氏は……。
ところが、ところが、印度では全ての事が起きることを忘れてはイケマセン。こういう埃っぽいところに、何と！　クーラーの使用制限命令が出たのです!!（4月27日より実施）

首都で計画停電
ニューデリー、4月21日
今日、深刻な電力と水の不足が首都で発生し……

理由は、電力不足がいよいよ深刻となり、電力使用制限が開始されたからであります。
今迄時々ご紹介したように、既に計画停電／事故停電が始まっており、日中事務所も時々停電しています。トイレで用足し中に停電されると本当に困ります。後始末しないと出るに出られず、かと言って真っ暗な中手探りで紙を探すのも骨が折れるし……。中に長くいるのも暑いし、これが本当のウンのツキ（笑）、なんて言っていられる内はまだしも……。

そこで政府は、今年は先手を打って節電対策を打ち出してきた訳です。具体的には、
☞工場は25%電力カット

☞広告照明、ネオンサイン禁止
☞６：３０PM～９：３０PM　エアコン禁止
☞商店/事務所の正規の営業時間外の電力使用禁止
ということなのだそうです。

問題は、夕方6：30～夜9：30にかけてのエアコン禁止の点。残業するにもエアコン、照明ナシ。日本食で自宅接待するにもエアコン無しで、サウナに入りながら食事をするようなもの。

ドーシマショーカ？

O氏のデリーの自宅はコックが美味しい日本食を出せるので、しばしば自宅接待に活用しており、停電でこれがダメになると、出張者を送り出す方も困るので、現状をこの「公用私信」でさりげな～く「ドーシマショーカ？」と事前にお知らせしている訳デス。ン？　それにしては字がでかい？

今年はまだまだ色々なBAN（禁止）が出そうです。

既に解除されましたが、深刻なミルク不足で、乳製品の販売禁止もありました。

乳製品の販売禁止
ニューデリー4月21日

デリーで給水危機
ニューデリー4月4日

電力に加え水の状況も心配です。インド通信の前号（２月末）に比べても、更に深刻化している様子です。３月中旬時点で水不足は15の州に広がっています。

政治の方は、予算審議が終わった為、盛り上がり今一つ。

あの「ボフォース」（インド版ロッキード事件）騒ぎは今でも時々新聞を賑わせているものの迫力今一つ。

テロリストの攻撃で32人が撃たれ、82人が負傷代わって、パンジャブ州の過激派テロ及び警察による過激派の制圧は、毎日「〇〇人死んだ」と新聞の１面を賑わせています。アフガニスタンの和平も、逆にパキスタンが身軽になって、過激派を支援している、という論調が目立ちます。

身近なところでは、アメリカ文化センターが入っている隣のビルの火災と、当社の入っているビルへの延焼（ボヤ程度でしたが）があります。既に速報でお知らせしていますので、事件の概要はご存知だと思いますが、一時は当社の入っているビルにも避難命令が出て全員退去の騒ぎとなり、普段あまり娯楽の無いだけに野次馬が大挙押しかけ、道路も遮断されたりして、しばらく周囲に話題を提供しました。

翌日の新聞にも20㎝×20㎝ほどの写真付き記事が出ました。記事の大きさにも驚いたのですが、その写真に立派なハシゴ車が３台も、ビルの５階の出火場所に放水している姿が写っていて、フーン？　やはりかなりの火事だったんだー（新聞では、「中程度の火事」と称している）、デリー消防署にもこういう立派なハシゴ車が何台も有ったんだー、と改めて感心した次第です。

アメリカ文化
センターで火事
ニューデリー４月４日
今日午後アメリカ文化
センターの５階で中規
模の火災が発生した。

時は４月４日（月）午後３：45頃

実はこの日、Ｈ社のサービスエンジニアＮＹ氏（日本から船積中の電気機関車の面倒を見る為来印）と長期出張のセールスエンジニアＳＹ氏もデリー着。午前中は毎週月曜日にある事務所の朝会及び前出のエンジニアとの打合わせに費やし、午後せっせと書類を片付け、そろそろインド国鉄本社とＢ重電機会社に出掛けようかと腰を浮かしかけていた頃……。

ビルの外が騒がしくなり、消防自動車のサイレンの音も交じって聞こえてくる。
「又火事か……」程度の感じで書類を読み続ける。
その内に誰かが隣のビルが火事だと言い始め、反対側の窓の方に見物の為に席を立ち出す。隣というのは近過ぎる、どんな様子か見てみようと反対側にある会議室（そこでは折から来印中のＫＤ海外業務部長を囲んでインド各店舗の事務所長が集まり会議をやっていた）の窓より眺めてみると、正に隣のビルの方から煙が出ている。但し、思ったより煙が少ないのでボヤ程度と思い、又席に戻って書類を片付け出す。
その内に館内放送が始まったが、何やらガーガーと現地語で言っているのみでさっぱり訳が分からず、仕事を続ける。
すると反対側に火事の様子を見に行っていた日本人駐在員某氏が戻って来て、
「万が一の為このビルも避難することになった」
と告げたので、こりゃ大変とばかり書類を片付け、水濡れが心配なワープロを持ち出すことにする。
所長も現れ、ホテル・オベロイ（OBEROI）へ集合するようにとの指示を出して避難する。
思い出して、東京へ電話し、「火事の為、避難するので音信不通となる」事を連絡する。（その日、Ｂ重電機会社との契約交渉で大事な回答を東京から貰うことになっていた）

雑用係のボーイ（OFFICE BOY）が電源を切り、ドアに鍵をかけるのを見届け、出遭った運転手と共に階下に下りる。
ビルの周りはハシゴ車も到着しており、野次馬が取り巻いている。表通りは既に交通遮断中。どんな様子かと隣のビルを見に近寄った途端「ドカーン」という爆発音と共にガラスが割れバラバラと落ちてくる。見物人も及び腰となる。見物を諦め車に乗り、ビルの裏口より、野次馬の流れに逆らって、反対側の大通りに出て集合場所のホテルに向かう。

一度ホテルに集合したものの、翌日の航空券の事を思い出し（手配済みであったが、火事の混乱で印度人スタッフが散ってしまい航空券の入手が不可能になっていた）、別途入手すべく再度事務所の近く迄戻る。
近く迄来たついでに火事の様子をチェックしたところほぼ鎮火しており、大事に至らぬ事を確認して近くのＨ社の事務所に立ち寄り、電話を借りてホテルへ火事の現状を中間報告。
更に事務所の中へ入るべく警察の阻止線の周りをウロウロしているところへ、外出から戻ったＫＣ君（社宅同居人）に出会い、当日夜自宅接待を予定していたＨ社のＮＹ氏、ＳＹ氏を車で迎えに行く事、及び接待への同席を指示する。
その後ビルのガードマンを言いくるめてビルの中に入り、事務所の鍵を開けて書類を整理し、更に事務所の中を全て点検し、異常のない事を確認した上で所長宅へ報告。（所長は未だ帰っておらず、所長夫人に伝言を依頼）

この後自宅に戻り客人接待、更に所長宅でのＫＤ海外業務部長を囲んでの所員／家族全員の懇親会にも出席して一日を終わる。

火事の段おまけ

最後に事務所から戻った後、もう一人の駐在員氏がやはり事務所へ書類整理に戻ったところ、今度は当社の入っているビルの6階（5階？）が火事という場面に遭遇し、折から所長宅に集まっていた全員が再び事務所に駆けつけるという騒ぎが発生。当社の入っているビルの上の階（当社は4階）の連中は避難命令と同時に窓も開けたままにして逃げたらしく、隣のビル火災で飛び込んだ火がソファーと絨毯に燃え移りくすぶった、という事でチョン。

上の階は、消火の為の放水で床中水浸しの状態であったとか。当社の火事の被害は、隣のビルに面したガラスが爆風で数枚割れた程度。

火事と言えば、昨年の6月29日、アンサル大楼（ANSAL BHAVAN）という近くのビルが火災を起こし3名が死亡。

今回は隣のビル。次第に接近しつつあり……。次回は当ビルでしょうか？　当社はビルの4階（日本と同じ階数の数え方で）なので、息を詰めて階段を走って下りれば何とか1階まで辿り着くこと可能でしょう。

今日から潜水泳法で鍛えましょう。

プールだ！　夏だ！　そら行け！

予告編

次回はボパール⇒デリー汽車の旅。デリー⇔ラクナウ汽車の旅についてはお知らせしましたっけ？　まだ？　それでは、次回はインド国鉄汽車の旅、といきましょう。

《第8信 完》

今は昔、
天竺の地、此の年の雨季常にも増して雨おほく、葉月一九日夜より二一日にかけては、二十七年ぶりの大雨とて、雨音しかのみならず雷鳴ともなひて降りまされり。雨休みたるのち外にいでてみれば道は川の如くなりて男女ここかしこ往来に難儀す。天竺にすまひて一年ほど経たる彼の男(をのこ)此の地のありやうにもおほかた慣れたるものの、さすがに天竺、大水とともに大地より這ひいできたる、大蚯蚓（＝大みみず）、あしきくちなは（＝蛇）、などなどにも出遭い、更にはあの太古の昔より栄えし芥虫(あくたむし)（＝今でいふゴキブリのこと）とは激しき戦を交へしと、なむ伝へたるとや。

1988年8月21日

日本のみなさま

ニューデリー在 大泉正城

第9信 ゴキブリ君の巻

前号【第8信】から相当時間も経過しましたね。
では、お約束のゴキブリ君の話。
そうそう、その前に雨の話。（いつもの通り、インドの牛様と同じく道草を食べながら行きましょう）

このところデリーは雨が多く、東南アジアの国と間違うばかりです。8月19日の夜から8月20日朝にかけては、雷と共にザーザーと一晩中降っていました。8月20日（土）の昼間も大雨が降りました。そして今、21日（日）の昼過ぎからも大雨が１～２時間降りました。雷も鳴って窓ガラスがビリビリと振動しました。

どうです？　何か起こりそうな気がしてきたでしょう？　ワクワクと胸がときめいてきたでしょう？　胸がときめくようになったらあなたは一人前、インド駐在員（又はインド駐在員の奥様？）の資格があります。

今度部長に私の後任者としてスイセンしておきます。

（最近は女性の駐在員もいますヨ）

そうなんです。出たのです。ミミズが……。そう、これは悠長になんか待っていられませんね……。全くインドでは何が起こるか分かりませんね。

その１ ミミズのお引越

インドにもいます。ミミズが。

彼の「仕事の鬼」（と、誰も言ってくれないから、自称することにした……インドではこれ位でも遠慮深い方です）と言われている、あの某社のデリー駐在員Ｏ氏、今日は雨上がりの休日、歳のせいか（Ｏ氏の前でそんなことを言ってはいけませんよ。本人は腹さえ出なければこれでまだ20代で通るかな？などと毎朝鏡を覗いているのですから）、休日でも８：30以降は寝ていられず起き出して２階の住人（これがどういう訳かクウクウと昼過ぎまで寝ていられる特技の持ち主で、名をばＫＣとぞなむ謂ひにけり。昼食時となるとボーッと現れるから不思議）の「執寝力」をうらやみ、前庭に出る客間のドアを開けて昨夜の雨を思い出し、庭に落ちている木の葉を見ながら「夜来風雨の声、花落つること知る多少」などとやり、昨晩の風はすごいな～、小枝がたくさん落ちているなぁー、と思った場面を想像してください。

その内に、「ん？」何故小枝は大理石のタタキ（前庭に出るところが大理石のタタキになっている⇒【第15信】のＯ氏宅見取図参照）にのみ転がっているのかな？？

コレ位の大きさのものが10㎝～15㎝おき位に散っている。「ん？」「ん？」まだ風があるのかな～、小枝の位置が変わったような気がすると思って、頭をトントン、顔をツルリ、目をパチパチとして見るが……。終にしゃがみこんでよーく見ると……何とミミズ！　ミミズの大群が大理石の上で日光浴をしているのです。１ｍ幅×12ｍ長位の大理石のタタキの上がミミズだらけです。

そして、フェンスの上には、そのミミズを狙っているカラスが、Ｏ氏に早く引っ込めと、Ｏ氏もタジタジとする気迫で睨んでいたのでアリマス。

そこで、側（かたわら）の使用人に向かって、

「何故ミミズが石の上で寝ているのでアルカ？」
「雨ダ、雨アルヨ」
「雨？」
「雨でミミズが溺れそうになり、土の中から出るアルヨ」
「ミミズはカナヅチか？」
「カナヅチ？　何それ？」
「ハンマー、ハンマー。ハンマーは重いヤロ？」
（こんな事使用人に言っても分からんやろーなー）

という訳で、乾期の終わり頃、プレ・モンスーンと呼ばれる

雨が降るとミミズがお引越を始めるのです。

そうなんです。出るんです。雨が降ると……。

その2 ゴルフ場の「先住民」様

デリーのゴルフ場は街の真ん中にあります。出張者がよく泊まるオベロイホテルはゴルフ場の隣ですし、O氏の家と街中にある会社の中間（むしろ街に近い）がゴルフ場です。そういう街中のゴルフ場ですが、孔雀がゴルフ場の芝生の上をトコトコ歩いていますし、リスはそこら中にいます。

ついでに、寄道すると、官庁街の中心を占める大統領府の裏側（立派な大通り／建物があり大使館街へ通ずる）の道にはエテ公が出てきます。日本猿に似たエテ公で、数匹でアスファルトの道を悠々と渡って行きます。

さて、そのデリーのゴルフクラブですが、いるのは孔雀やリスばかりではありません……そう、OB（藪の中）には他の動物がいます。そう、奴（やつ）が出ます、特に雨の降った後に……。

雨が降ると、雨水がそ奴の住居に入り込みます。すると、呼吸困難となる為、イヤイヤ？　外に出て来ます。

またミミズ？「ブ〜、ブ〜」

もぐら？「ブ〜、ブ〜」

もしかして、もしかして……〇〇？「ピン・ポーン」

そう、トグロを巻いている奴もいます。シュル、シュルと走り去る奴もいます。

出ました！　そうです。コブラで〜〜す。蛇なのです。

お気をつけ遊ばせ、デリーのゴルフ。コブラの頭にポコンなどとボールを当てたら、遊んで〜〜〜などと追いかけて来ますゾ。大体が、孔雀が放し飼いになっているのは、蛇が近くにいると孔雀がギャー、ギャーと騒ぐから、あれは実は、警報機の代わりなんだ、という人もいます。

そうなんです。出るのです、雨が降ると……。

その３ 大水

Vehicle owners had a tough time on Friday negotiating the flooded roads. This was the scene near the Mathura Road bridge — HT

Heavy rains lash capital

デリーの街は一寸大雨が降ると街中の道路が川のようになります。街中至る所30cm～40cm位の深さ。

元々下水設備が貧弱なところに、短時間の大雨で排水能力をオーバーしてしまう訳です。このような光景が街中至る所で見られます。

８月21日（土）、前夜一晩中大雨で、もしかすると、もしかするぞ……と、密かなる期待感と、今日は土曜日だし、その時は「休みだ、休み」とリラックスしたＯ氏は、何時（いつ）もより１時間ほど遅く出勤の途上にあります。

Ｏ氏の属する某商社、土曜日は休日ですが、仕事の鬼のＯ氏は（ボーナス増えるかなー？）、昨晩（実際は８月21日の早朝３時過ぎまで）東京で遅くまで働いて乙波（オファー）（見積）を出してくれたＫＢ氏等の努力に報いる為、そしてその乙波を土曜日も営業しているＢ重電機会社に届ける為、そして……水没しているであろうデリーの街を見届ける為、車でノコノコと何時もの道をやって来たのでアリマス。

途中の道は、デリー市の脇を流れるジャムナ河の河川敷（氾濫原）に土盛りして造成した道路の為、道の両側はジャムナ河の水位の上昇と共に水没し、湖／池のようになっています。

イイゾ、イイゾ、そら行け、ドンドコ行け、と洪水で難儀している住民の事は忘れ、窓から外を眺めると……「ムッ、ムムムムッ」なるほど流石インド人の生活のチエ、例の牛のウンコで作った「塚」（⇒インド通信【第３信】参照。牛の糞を厚目のピザパイ状にして、ペッタッ、ペッタッと積み重ね、干す。乾いたら燃料になる。チロチロと青い火を出して軟らかく燃えるソーダ）、これだけは水の来ない比較的高い場所に築いてある。ナールホド……。

ナニ？　牛様の糞塚是非もう一度見たいって？

しょうがないねー、どうして人間は生まれつき「下ネタ」が好きなんだろ〜ネ？　ハイ！☞

話を戻してと……。ジャムナ河の河岸。送電線の鉄塔の土台のコンクリート。やはりこの場所は河が氾濫することを念頭に置いて設計されている……。

さて、問題の場所に近づいて来たぞ……。

（途中道路が低くなる箇所があり、何時も水が溜る）

あれっ、何だ？　前のトラック、バックし始めたぞ……。変な奴……。急に見通しが良くなる。ウーン、ヤハリ……水が溜っている。30㎝～ 40㎝位かな？
　引き返す車あり、そのまま前進するバスあり、ボンネットを開けて道端に停まっている車あり……。
　さて、どうするか……。
「旦那、この車は日本車だ。大丈夫だ。真っ直ぐ行こう」
「ちょっと待て」
　ウーン、真っ直ぐ行って何になる？　粋がって水に飛び込んでも何の得もない。君子危うきに近寄らずダ。
「止め！　引き返せ！　別の道から行く」
（運転手、折角の見せ場を中断され面白くなさそう）

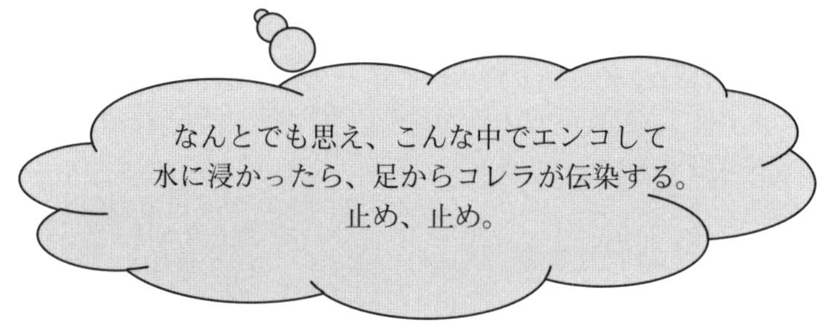

　かくして別の道から迂回して事務所に向かう。
　道の途中は奮戦むなしくエンコしたアンバサダー（ＫＤ君憧れの名車）がところどころに停まっている。

　コラコラ、前のバスが遅いからといって追い越しはヤメ！
　皆、比較的道路の高い真ん中寄りにノロノロと走っているのに、それを追い越そうとして（こんなところで前に出ても役に立たないのに追い越そうとする。この運転手優秀だが、やはりインド人だなー）、水の深い道路の端に出ようとする。

　ン？　停まったか？　交通渋滞か？　道の中央でエンコしている車あり、迂回して水の深い方を走り、又道の中央に戻る。
「旦那、この先ずっとこの調子で駄目だ。戻って別の道を行こう｜とて引き返そうとする。
「NO, GO STRAIGHT ！（ダメ！　真っ直ぐ行け！）」
「だから、あの時真っ直ぐ突っ切って行くべきだった。ブツ、ブツ、ブツ……」

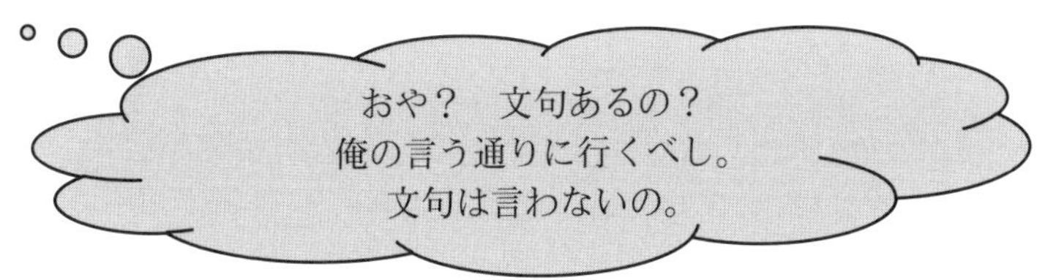

その先より若干土地が高くなり、道路は冠水しておらず、快適走行で事務所へ辿り着く。

> 専門家の筈の運転手も大したことないな〜。
> やはり日本人の判断の方が正しい、などと
> 一時国粋的考えに囚われたのです。

そうなんです。出たのです。雨が降ったら……。

その４　お待たせー！

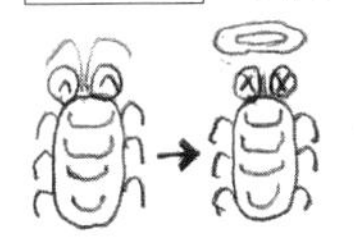
の物語

実は、長い間迷っていました。
書くべきか、
書かざるべきか

そうです。あの社内懸賞論文「成熟社会」に出そうか、出すまいかと……。こういう具合に始める筈でした……。

『我が家にはゴキブリが五万といる。つまり、ゴキブリが蔓延、いやゴキブリ達にとっては繁栄していらっしゃる次第なのである。そのゴキブリ様が繁栄すると、ゴキブリ達は自分達の社会を「成熟社会」と思うかも知れない——』

でも、考えた末止めました。
当選して、社内に「ゴキブリ五万」が知れ渡ると、駐在員としてのO氏は困るからです。出張者の皆様が来てくれなくなるからです。

そこで、O氏は、夜も寝ないで……というのは嘘で、12時間睡眠を11時間30分位に減らして考えました。
で、結論はゴキブリ掃討大作戦の発動です。
ゴキブリがいるという話は、前任者のAH道人からも聞いていましたし、ゴキブリ・ホイホイを引越荷物に入れてきたことからも、一応頭では理解していました。

〈前哨戦〉
時々ゴキブリを見かけると、エイヤッとばかり一撃しポイと捨てていました。
前にも皆様にお知らせしましたが、ご当地のゴキブリ君動作は緩慢でオタオタしています。ゴキブリばかりでなく、ハエもネズミもそのようです。仏様の国柄か、一般にインド人はハエでも蚊でもあまり殺さないようです。どちらかと言うと同居しています。だからゴキブリも動作がニブイ。
㊙ですが、実はO氏の結論も「同居」なのです。一人や二人の日本人が、あの太古の昔から「成熟社会」を形成しているゴキブリ様やハエ様と戦っても勝てる筈がありません。人間様の生きる隙間を若干分けて頂き、そこで生きていくのがインドでの達人の生き方であると悟った訳でアリマス。

〈持久戦〉
転機は思いがけなくやって来ました。あのお正月の「インド大スキー行」でした。数日部屋を空けて帰って来たら、チュー公が大宴会をやっていた事は前にもご報告（⇒インド通信【第４信】参照）しましたが、ゴキブリ共も大運動会をやっていました。そこでＯ氏も運動会に参加することとし、障害物競走のプログラムの準備・進行係となり、ゴキブリ・ホイホイをコースに設置しました。

すると、ゴキブリの選手達はみんな引っかかりホイホイと戦死しましたが、何が面白いのか我も我もと参加する為、直ぐ一杯になり、際限がない持久戦となってしまったのです。

〈激戦地下要塞〉

これでは勝利が覚束（おぼつか）ないので、11時30分の睡眠を11時間にして作戦を練ると共に、新しい武器（殺虫剤）を購入し、同盟軍（門番・女中）の参加を得て、ゴキブリ軍の基地である地下要塞を急襲しました。

地下要塞（下水）の入り口のマンホールを開けると、そこはゴキブリの大軍でした。そこへ向かって殺虫剤を噴霧器（あの昔懐かしいＴ字手押しのポンプです）で振りかけると、流石の大軍もバタバタ、ポトリ、ポトリと戦果は大なるものの、大騒ぎの結果逃亡を図るゴキブリ兵も現れ、敵はマンホールより外へ出て来ます。

これを同盟軍と共に掃討を図ったものの、敵も必死で回避行動をする為、戦場は混乱し、大激戦となりました。

このような激戦を２～３度繰り返したのですが、隙間や下水道の奥に逃げ込んだ奴が２～３週間もすると、又ぞろ侵略を開始して来ます。

〈大掃討戦〉……

そこで睡眠時間を10時間半とし、知恵を絞り、実施した作戦が煙幕戦です。この作戦は大成功でした。さしものゴキブリ軍も全滅です。少なくともある一定期間「当国」内のゴキブリ

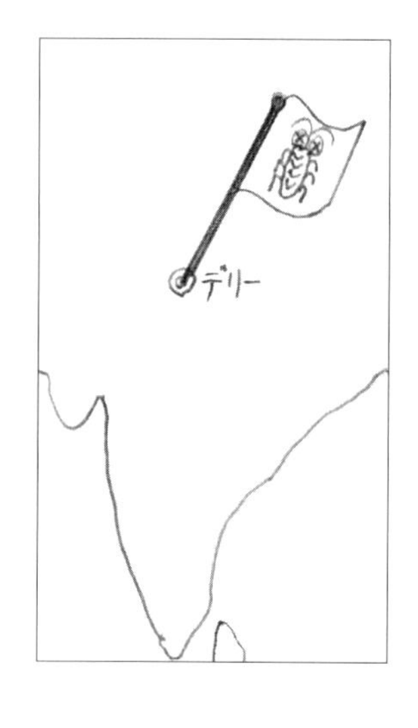

軍は全滅します。

この煙幕戦（バルサン燻蒸戦）により目下のところ「当国」のゴキブリは、他国より迷い込む迷子ゴキブリを除き、全く？（殆んど）いなくなりましたが、又一定期間経過すると隣国より侵略を図って来るでしょう。その時は又……。

こうしてインド・デリーの地で、今日も又際限のない戦いがO氏とゴキブリ軍との間で繰り返されようとしているのです。

（ナレーション：O氏／提供：煙幕製薬）

〈後日談〉雨で出るのデス

「激戦地下要塞」の後で大雨が降り、マンホールが雨水で一杯になったことがありました。

そしたら、出たのです！　ゴキブリの残党が大挙して下水道を逆に遡って避難し、部屋の中に逃げて来ました。

勿論一網打尽。

この週末の大雨は27年ぶりの大雨だったそうです。

まだまだ起こる様々な事件……。

《第９信 完》

今は昔、
彼の男(をのこ)、天竺に赴きし又の年(一九八八年)、雨常の年よりおほく降りし故にか蚊も又あまた出で来たりて、天竺におほかりし熱病(デング熱)によりて文月初めつひに七日あまり寝込む羽目になりぬれども、本朝にありし折に養ひし体力が功を奏せしか、病も如何でか切り抜け、彼の男、週末も忙しく優雅な?身一つの暮らしを楽しみ居たると、なむ伝へたるとや。

書き始め：1988年11月20日
一時中断⇒再開：11月30日
やっと完成：12月3日

日本のみなさま

ニューデリー在 大泉正城

第10信 週末はお忙しの巻

どういう訳か、このところ筆不精となり、8月21日付の前号【第9信】より3カ月もご無沙汰してしまいました。

この間(かん)、10月に特別休暇で一時帰国した為、何となく「インドの香り」を皆様にお届けしてしまったことが原因でしょうか?

それとも、9月の初めに罹(かか)ってしまったデング熱の「後遺症」のせいで、「ヤル気」が失せたのでしょうか?

「デング熱」始末記

知っている人は知っているのですが(当たり前)、小生も一人前にこの南方特有のデング熱に罹り、9月初めに1週間ばかり寝込みました。

蚊によって伝染し、４種類位の症状があるそうですが、小生の場合、熱はあまり出ず、代わりに筋肉痛、関節痛がひどく睡眠不足に陥りました。（夜も寝られぬ位痛くて、ウン、ウンと唸っていました）

ただ、小生の場合には、1週間でケロリに近く全治しました。とは言っても、この間の体力の消耗が激しく、体力を取り戻すのに１～２週間かかりましたが。

当事務所でもこの秋は（真夏はクソ暑い為、蚊も出て来ず――本当、少し涼しくなった頃この病気に罹る）デング熱で倒れた駐在員が多く出ました。

当事務所にいたことのある人、出張したことのある人はよく知っていますが、事務所を後から拡張している為、事務所が同一フロアーで２箇所に分散しています。この内の１箇所に小生も所属している機電部隊が入っています。現在機電には日本人駐在員が６人いますが、この内４人までが今年デング熱にやられています。勿論、現地職員、家族、使用人も罹っています。

インド人がよく「FEVER（熱病）」と言っていますが、この中には風邪やコレラ等の他に、このデング熱やマラリアがあるようで、今の季節は蚊取り線香が欠かせません。

物の本によると

デング熱は、デング・ウィールスによって起こり、熱帯シマカ、時にはヒトスジシマカによって媒介されます。我が国には常在しませんが、東南アジアには多発しています。

５～９日の潜伏期を経て、39～40℃の発熱、関節痛などが起こります。予後は良好です。発熱してから３～４日後に出血疹が現れる時は重症になります。特効的な治療法はありません。更に困る事は、このデング熱、免疫が出来ない為、年に？　何回でも罹るという事です。

（第９信より３カ月もインド通信の間が空いてしまったのは；）

実は、何しろ何が起こるか1時間先も分からぬインドの事ですから、インド通信の題材には事欠かないのですが、単身赴任者にとって週末はゆっくり手紙を書く暇も無いほど結構忙しいものなのです。

それで、今回は、「単身赴任者の週末の実態（海外版）一決定版」をご披露しましょう。次回は、毎回予告だけに終わっている「インド鉄道の旅」をお届けしましょう。（と言って、又予定が変わるかも知れません。そう、ここはインドなのです）

時期は、ちょっと遡って、1988年９月の中旬、丁度デング熱も治ってやれやれといった頃の話……。

早速、寄り道１ ☞☞☞☞☞

何故蚊の足が有るのか？
今の季節は蚊が多い為、
蚊取り線香を焚いていた

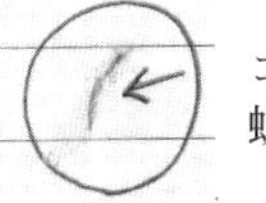

コレは何か？
蚊の足デアル。

のであるが、その効果の為か？　今、蚊がポトリとこの頁の上に落ちて来た。そこで、この野郎！　とばかり蚊を「押した」のである。（潰すと大事な日本の紙が汚れるので、潰れぬ程度に押した）が……敵もさるもの、体勢を整えると、足（手？）のみを置いて飛んで行ったという次第。
毎日の蚊との戦いを想像アレ！　敵はゴキブリのみではないのである。

【9月17日（土）】つまり週末一日目

10：00▷起床、朝食

使用人が現れる。モメ事か？

「ガステーブルの調子が悪い。火が消えそうになる」云々。

何だか言っている事がワカラン。コック・女中共は、只今別居中の妻君よりも機械オンチで、何時も辻褄（つじつま）の合わぬことを言って「難題」を持ち込んで来る。大抵は、コードが断線していたり、ネジが緩んでいたり、接触不良程度のツマラン故障だ。コックは男だろう？　頭を使って自分で直せ！

コチトラは会社だけでも忙しいのだ。

「アアダ、コウダ。ナンダ、カンダ……」

ウルサイナー。ガステーブルなど故障する筈がないではないか。大体これは機械なんてシロモノではない！　ウン？　ナーンダ、ツマミが緩んでいるだけではないか。これ位自分でヤレ、自分で。ネジを締めれば良いのだ。

「アノ、ソノ、ツベコベ……」

まだ何かあるの？　火が消える？　時々？　消える筈がないが……念の為、ガス台の裏でも見てみるか……。

何だこのガス台？　空気量調整装置も無い一番簡単なガス台だ。これでは消えたり点いたりなど、高級な事ができる筈はない。消えるのはツマミがガタガタ緩んでいてうまくツマミを回せなかったからだ。今度は大丈夫。

「ソレデモ、ツベコベ。ヤッパリ、ナンダ・カンダ。アーダ・コーダ」

直ったの！　大丈夫！　ほらよく出るではないか。見てみろ！

「?!　?!　アー、ウー」

魔法でも何でもないの。新しいのなどは買わないよ！　お下げは無し!!

「換気扇だ。ウゴカナイ。困ったアルヨ」

これは簡単ではない……アト、アト、午后、午后。今は会社に行くの。

11：00▷会社

今日は誰も来ていないなー。

（託送する書類のコピーを取る必要あり出社）

アチコチの電源を入れクーラーを回し、電灯を点け、コピー機をＯＮにする。

昨日の夕方読んでいないテレックスに目を通し、回覧書類を見てから、新しいコピー機を覗いてみたら……何と?!　電源が入っていない。

何だ、これは？……電源は何処だ？　アチラ・コチラのスウィッチをパチン、パチンとやってみるが電気来ず。ウーン、クソッ！　古い方のコピー機は調子が今ひとつで、紙が詰まってしまう。でも仕方ないから古い方でやるか……。

コピーを取ろうとしばし悪戦苦闘するが、ダメダー、諦め。

オリジナルを東京に送り、東京でコピーを取って貰おう。今日会社に出て来て損をした。

13：30▷再び自宅

ということで、家に帰って来て昼食。

メニュー：天ぷら、冷や麦。

14：30～16：00▷買い物

テーブルマットとナフキンが古くなったので客用に新しいのを２セット買う。単身生活者で家の中を小奇麗にしているのはこのＯ氏の右に出る者なし。

その名誉？　を維持する為にも、時々インテリアにも気を使わねば……。

見栄も大変。江戸っ子はやせ我慢と見栄で持つ。一寸立派過ぎるテーブルマットを買ってしまったかなー？　大体男が家庭用品など買うと碌（ろく）なものを買う筈がない。

それからっと……そうそう雑巾。コック、女中のタオル。あの連中、タオルを買って手でも洗わせないと、こっちが病気になる。帰ったら「フキンで手を拭くな！」と口うるさく言わねば……。目を離すと何をするか分かったものではない。（コレ、我が家で食事をよく一緒する出張者には黙っていよう……）

タオル掛けも買ったし……。粉ミルク（コーヒー、紅茶用）、カシューナッツにピスタチオナッツ……。

16：00 ～ 17：00 ▷ 浄水器の保守

浄水器の中身（吸着カーボン、濾過マット、etc.）の取り換え。半年に１回、浄水器の中身を洗う必要があったのだが……。（エッ？　気にしない、気にしない、生きているではないか）この際、予備の中身と取り換えて新しくした。「今後濾過マットは1カ月に１回洗うこと、吸着カーボンは３カ月に１回洗うこと」と女中に言ってはみたが……果たして……。（出張者には黙っていよう……）

17：00 ▷ フキン／タオルの取換え

コックと女中にフキンと手を拭くタオル（買ってきたタオルを……そう、インド製のタオルはゴワゴワして足拭きのマットみたいな感じ……早速（さっそく）渡す）の区別を再度説明し、クドクドとウルサク言う。

前から何度も何度も言っているが、「ワカッタ、ワカッタ」とその場限りの返事をし、時々急に台所に行ってみると、言った通りにしていない。

これからも口ウルサク言わねば……面倒くさいが……。

この間は、フキンで汚れた瓶を拭き、フキンが泥だらけの現

場を押さえた。(出張者には黙っていよう)

「何だ、これは！」と言うと、一応理屈を並べようとするので（フキンは毎日洗っている、ウンスン、ベラベラ……)、ウルサイ！　とばかりに怒った。

ご主人様は時々怒らぬと使用人は身に染みて理解しない。(それでも時間が過ぎると結局は元のモクアミ……)

17：30～18：30▷換気扇修理

油だらけの換気扇を取り外しコックに洗わせ、こちらは「ウーン、ウーン」と音のみして回らないモーターの修理を試みた。するとコックが、モーターの中身がイカレテいるなどと分かったような事を言うので、「クソタレ奴(め)！　意地でも直してやる！」と力んでみたのだが……。

アレ・コレひねくり回した後で、不審顔のコックに対し「今日は時間が無い。従って明日またやる事にスル！」と宣言してその場をゴマ化し、大汗をシャワーで流す。

ブツブツ、やはりコックの言う通り新しく買わねばダメかなー？　又物入りだ……。

ここで、一時中断……。

夜も更けてきたし、今週は早朝出迎えや「CLW」（インド国鉄の機関車工場、カルカッタに近い場所にある）への出張もある故、寝不足にならないように注意しなくては……。

という訳で、ここからは11月30日に書いてオリマス。

19：00～23：00▷送別会に出席

所長邸にて海外経済協力基金（OECF、つまり円借款事業の元締）の所長の送別会。

やはりカラオケ大会に発展……。

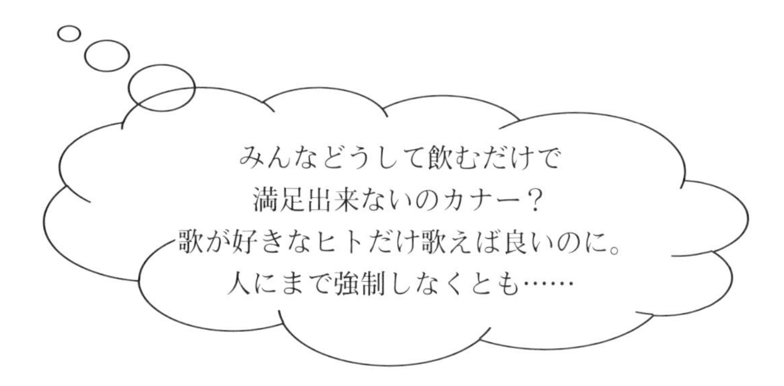

おかげでジンを飲み過ぎた。明日は二日酔いかなー？　という訳で夜中に水をがぶ飲みする。

【9月18日（日）】つまり週末二日目

朝から二日酔いかなー？　と思いつつ起き上がってみると、特に二日酔いでもなさそう……。こうしてこの日曜日は始まったのデス。

06：50▷起床

という訳で、普段よりも早起きしてきた某商社のO氏。

二日酔い？　大丈夫……。でもウンチは渋った。大事を取ってトイレットペーパーを持って行くことにするかなー……。念の為もう一度トイレに入ってと……。麦茶でも飲んで腹の様子を見るかな？

朝食はオレンジを絞ってジュースを作り、リンゴを丸カジリ。パンは止めておこう。途中で渋り腹となるとマズイ……。何しろインドのトイレは……。

そうそうインド人はどういうトイレに入り、後始末はどうするのか？　君達興味ある？　でも今回のテーマと違うので又にしよう。O氏は日本人だし。

07：30～10：00▷ソフトボールの試合

何で朝早くから起きているのかと言うと、デリー日本人社会名物のソフトボールの公式戦が始まったからである。

毎年雨期が終わると、デリーの日本人会でソフトボールのリーグ戦が始まる。12～13チーム（大体職場チーム）を2リーグに分け、各リーグの優勝者、準優勝者でトーナメント戦を行い、最終優勝チーム決定戦が行われる。

O氏の属する某商社とOECFの連合軍は、第1回大会より3回連続優勝し、非常に熱が入っている次第。

さて、試合の方は、日本人学校チームと対戦し、10－8で初戦敗退。某商社・OECF連合軍は毎回初戦を落とす。曇り空で暑くもなく、ヤレヤレであった。

> ソフトボールその後
>
> 今季又も優勝！（11月20日のこと）
>
> 連続4回優勝。
>
> 初戦を落とし、リーグ戦2勝2敗の戦績で苦しみ、得点差でトーナメントに臨み、終に優勝！　本当デスヨ！

10：00～13：00▷昼寝（いや朝寝か？）

早起き、寝不足、ソフトボールの試合、により、もう一度寝ることにする。

ムニャ、ムニャ、スー、スー……お休み。

13：30～14：30▷昼飯（自炊）残り物始末

週に一度は冷蔵庫の中を自分の目で確かめないと、とんでもないものが残っていることがある。日曜日はコックのラオ（Rao）が休みなので、残り物の片付けを兼ねて自炊をする。

食べられなくなっているものはサッサと捨てる。チョコチョコと少量ずつ残してある物を掃除する日なのである。

１人～２人の食事なので、コックのラオも中途半端な量を作り、結局中途半端に残してしまう。コックのラオの腕は良いのだが、量を加減する才覚が無く、鈍重であるのが玉にキズ。

14：30～15：00▷買い物／換気扇

昨日コックのラオに「直る！」と宣言した為、モーターを何とか修理せんと試みたが、やはりダメ。「ウーン、ウーン」と音のみすれど回らず。（回ってみても一度電気を切ると又「ウーン、ウーン」が始まる）

そこで、ラオが休みの間に換気扇を新しくしてしまうことに決め、自分で車を運転してマーケットに出掛ける。

寄り道２：ガス屋とは？☞☞☞☞☞

「買い物」で思い出した。実は、昨日の９月17日（土)、買い物の帰りにガス屋に寄ったのである。「ガス屋」とは何か？　インドに都市ガスがあるかどうかは知らないが……どうもあるらしい……当家のガスはプロパンガスである。このガスの権利（つまり、ガスを供給／配達して貰う権利）を取得するのが大変。２年！　かかる。

そこで、当家のガスは未だ前任者の「ＡＨ氏」の名義のままになっている。引越をすると新しい地域のガス屋に届け出をするのであるが、この届け出はＡＨ氏に代わってＯ氏が代理でサインした次第。

普通は、ガスの登録と共にガスシリンダーが1個配達される。これを２個手に入れれば、予備のガスシリンダーがあることになり、1個のガスが空になっても直ぐ予備のシリンダーと自分で交換が利く。

そこで話は元に戻って、昨日予備のガスシリンダーにガスを入れるようにガス屋に行った次第。電話を何回トライ

　していも何時もお話し中なので、押しかけたのがこのガス屋行き。

マーケットは、日曜は休みのところが多いが、出掛けたマーケットは日曜日もやっているところ。苦労してパーキングスペースを見つけ路上駐車して電気屋へ。インドの、店とか、売っている商品は今ひとつインチキ臭いが（どうも夜店で扇風機を買う感じ）、仕方ないので保証期間を確かめ、大枚Rs250（約2,500円）を出して換気扇を買ったのである。

15：30～16：30▷水泳

ホテルのプールで泳ぐ。健康の為、プールで平泳ぎを1,000m位やる。（買い物に行く時水着を持ち、買い物の帰途ホテルのプールに寄る）

この涙ぐましい努力──。

バイキンうようよに対抗するのは一にも二にも体力……というか、お腹の出るのを防ぐ、聞くも涙ぐましい努力なのでアリマス。「インドで太った」というウワサが流れると、色々本人の為にならぬ話が出るので、要注意ですよ！　実は。

17：00～19：00▷届いた日本食の整理

ダンボール2箱（50～60cm四方位の箱2つ）で届いていた日本食を箱から取り出し、注文票でチェックして品名、数量を確かめ、食料の棚に収納する。

棚が日本食で満たされると気持ちが豊かになる。

（丁度、守銭奴が甕（かめ）より金貨を取り出し、「1枚、2枚……」と数えている気分）

次の日本食の申し込み期限が来週なので、次は何を申し込もうかと在庫チェックも兼ねて時間がかかった。

あっ！　一つ忘れた。順序が逆になったが……。

16：30～17：00▷換気扇の取り付け

プールから帰って来て、換気扇を取り付けた。

流石インド製でも、買ったばかりの換気扇はブーンと気持ち良く回った。

どうだい？　この換気扇、ご主人様は凄いヤロ？　でも新品と言う事はラオにも分かるだろうなー。

19：00～21：00▷夕食（自炊）

メニュー：

●マグロのトロ（刺身だぞー！）

或る人が築地で買ったマグロのトロの柵を託送してくれた。こういう人はインドでも大歓迎しちゃう。公私混同かなー？　先日、東京のＳＴ君が出張して来た時には自宅で一緒に食事をしたが、これは出さなかった。（出なかった）よし、よし、コックのラオもなかなかに気が利く。

●ギョーザ（２日前の残り物）

●インド風シチュー（数日前の残り物）

香料がインド風で味イマイチ。

●煮物

家主のインド人が持って来てくれたケーキを食べ切れぬので、ご近所様の日本人家庭に配ったお返しの煮物。勿論日本料理。

●漬物

瓶詰の搾菜。紅ショウガ。たくわん。

●ご飯（前日の冷や飯）

●デザート

リンゴ、麦茶。

日曜日は冷蔵庫の大掃除。それを地で行ったメニューでした。
（出張者には出していませんよ）
（分からん？　そう、正解カモ……）

21：00～22：00▷読書
新田次郎著『武田信玄』

22：00～24：30▷手紙書き
それでは皆様、お休みなさい。

真夜中
スースー、ムニャムニャ、ガーゴーガーゴー。
（夢はインドを駆け巡る）

ＰＳ結局書き上げたのは12月３日でした、はい。
そして、その翌日はＯ氏の何回目かの誕生日でした。

《第10信 完》

今は昔、
天竺の秋、すなはち神無月、霜月は、極熱やはらぐ良き日和の始まりにて、天竺ここかしこにて祭事・祝事(いわひごと)の続く時節なり。彼の男(をのこ)天竺に至りて又の年ともなりぬるに心持いささか寛ろぎて、宮仕へのあわただしき中にもカジュラホ（KHAJURAHO）なる天竺のゆかしき故地訪ねんと思ひ立ちて、都より彼の地に至る乗り物の席も予め設けえぬまま飛行場に向かひたりと、なむ伝へたるとや。

1988年12月22日

日本のみなさま

ニューデリー在 大泉正城

第11信　カジュラホ紀行の巻 その①

『畑や森を抜けて平らな道を進むと行く手に高い峰が続く山脈のような形が見えて来る。近づくと、峰の一つ一つが、実は天に届くようにそびえたカジュラホの寺院の高塔だと判かる。

更に近づくと、寺院という寺院の壁一面に、豊満な姿態を白日にさらす神々、男女、動物の交合の様を彫った「ミトゥナ像」が目に入る』（ブルーガイド「インド」／実業之日本社）

☜
目に入りましたかな？

更に近づく・・・、

や！　ややややや！
今回のインド通信は……
……なかなかのものだぞ。

そこで急いでページをめくる……

ん？　無い!?　……無い……無い……。

皆様今日和（こんにちわ）。
年末の忙しいところをお邪魔してスミマセンネ。
今回は、予告では「インド汽車の旅」の予定でしたが、急遽予定を変更して、（インドは中々予定通りにはいきませんねー）、カジュラホ紀行としました。

つまり、あの独身の同居人ＫＣ君が今日帰国したので、安心してカジュラホ紀行を書けるようになったからです。彼がいると写真を持って行ってしまうので、落着いてカジュラホ紀行が書けませんでした。

今夜は安心して机の上に色々な写真を並べて、創造力（想像力？）を豊かにして紀行文が書けそうです。
“紀行文”デスヨ。
何故彼は写真を持って行ってしまうか？
ソレハ、今日／明日にもそちらに出社するＫＣ君に聞いてみてください。本人が一番よく知ってますよ。

いざ、カジュラホへ

さて、インドのお祭りシーズンは10月～11月であり、今年は11月でありました。
このお祭りの真っ最中である11月９日と10日の連休に、某商社のＯ氏は、あの有名なカジュラホ（KHAJURAHO）に出掛けたのでありま～す。
始まり、始まり～ぃ。

11月のお祭りシーズンに連休があることは大分前から分かってはいたものの、10月に一時帰国しデリーに戻った後にも来客が続いて忙しかったせいか、旅行の目的地の選定や切符の手配は大幅に遅れて、実際に動き出したのは11月に入ってからという有様でした。
ホテルの予約は簡単に取れたものの、飛行機の方は「キャンセル待ちリスト」（WAITING LIST）の９番位に滞ったまま少しも改善されない状態でした。往復共にです。
１週間前、４日前、２日前……となるが一向に動かない。
イライラしてくる。
大抵は順番が次々と改善されるのだが、少しも動かない。

途中下車 ☞☞☞☞☞
最近やっと分かって来たのだが……。
①そもそもインド人の行動形態なのか、インド人はやたら

とダブル・ブッキング、トリプル・ブッキング（二重、三重の予約）をする。キャンセル待ちリスト入りになっていれば尚更で、次便、翌日の便とメッタやたらに予約を入れる。そして直前になってキャンセルする。従って、200～300人乗りのエアバスであれば、リストの50番～70番位であってもその時刻に行けば何とか乗れるということになる。

②上記はビジネス便で、有名観光地を結ぶ線には又別の現象が出る。カジュラホ便もこれに属する。つまり、前の日になっても少しも空席待ちの上位に進まないのである。結局観光代理店が座席を買い占めていて、一般旅客に席が回ってこない仕組みになっている。

③従って、相当多くの人が他人名義の切符で乗っており、現実にこの前ボンベイで発生した事故で、何と2～3割もの人が他人名義で乗っていて、乗ってもいない人のところへ「ご愁傷様でした」とか、中々身元が分からない仏様（いやまだ「霊」か??）が放置されるとかの悲喜劇があったソーデス。

乗車

O氏はイライラしていました。

お祭りシーズンの旅行は予約を取って動かないと危ない。

うっかりすると予約で一杯で、行きはよいよい、帰りは2～3日動きが取れぬ、などということにもなりかねず……。

（もっとも、その方がデリーに戻れず、従って会社に行かなくて済むというメリットもあるが……これは部長と所長には内緒デスヨ）

前日。やはり順番は動かない。帰りの便は空席待ち4番位になっている。このカジュラホ行の航空便は、デリー⇒アグラ

⇒ カジュラホ ⇒ ベナレス を往復する、有名な観光地を結ぶゴールデン・コース。

当日（つまり翌日）予約なしで飛行場へ行くべきか、行かざるべきか、仮に乗れたとしても帰りは？……。

こうして迷うこと数度……。

でも、つまりは、O氏は「何が起きるか楽しみで」当日イソイソと出掛けたのでアリマス。

「カジュラホ」予習の時間

今は草深い田舎で、小さな村があるだけだが、9～13世紀には、チャンデラ（月の神）の子孫を自称するチャンデラ王朝の都だった。カジュラホが有名なのは、各寺院の壁面から塔の外側をびっしり埋めている彫刻群である。そこには、鏡を覗き込んだり、髪をいじったり、アイシャドーを塗ったり、豊かに盛り上がった胸や腰を、インドの明るく輝く太陽のもとでのびのびと見せている何百という舞姫の像がある……。

〈デリー空港〉

アレッ？　まだデリー？　㋐わてない、㋐わてない。

休日のせいか飛行場まで道はスムース。空港もすいている。

幸先良し？　飛行機の出発時刻も特に遅れていないようだ。

アグラ・カジュラホ・ベナレス　行　の看板。

フーン？！　人があまり並んでいないぞ？

これはキャンセルが多く出たということか？

飛行機そのものがキャンセルになったかな？

インドでは両方共が起こり得るからなー、油断がナラヌ。

オンヤ？　並んでいるのは外国人ばかり？
ナルホド観光路線だ。

でも変だなー、カウンターがオープンしているのに誰も前に進まないぞ？　どうしたのかなー？
（と思って、カウンターのところで耳をソバダテルと……）
そーかー、皆キャンセル待ちリスト入りで、キャンセル待ちなのだ。
「リストを見せてくれ」とO氏。
ふん、ふん、リストに名前は出ているが、やはりキャンセル待ちだ。
「この番号で可能性はどうだ？」
「非常に難しい（REMOTE VERY MUCH.）」
「そこを何とか（YOU CAN MAKE IMPOSSIBLE POSSIBLE.）」
とカウンター担当にゴマをするが、冷たい。
「アノネ、アタシ日本人。遠くからワザワザインドに来たアルヨ。ドウシテクレル？」
「難しい。明日にした方が良い」
「明日はデリーに帰って来るの必要アルヨ」
とかなんとか言ってみるがダメ。
BUT（しかし）、コチトラだって1年もインドで暮らしておるのだ、そう簡単に引っ込まないぞ。最後までネバルのだ。インド人のあのズーズーしさとダメ元精神を十分学んでイルノダ。

アッ！　カウンターの男（男なのである）がこっちを見た。
仏頂面を止めて、口元の両側を無理に横に引っ張り「ニッ」と笑う。ゴマの具合はどうだ？　すれたかな？
又、下を向いた。果たして和(なご)んでくれたか？……。
オッ、いよいよキャンセル待ちリストになっている人の呼び出しが始まった。

１番……イギリス人らしい奴。

おや、２枚切符を出した。変だなー？

「ペチャ、クチャ、ペチャ、クチャ」

（こら、だめだめ、１人は１人）

「俺と俺のカミさんが一緒」

「奥様はキャンセル待ちの７番です。従って貴方１人のみとなります」

と、カウンター氏。

（そうだ、そうだ。その分こっちの可能性が増える）

「いや、女房も一緒だ。独りで行っても仕方がない。２人分くれ！」

（ニャロメ！　ずーずーしい。２人ともダメにしろ）

「ガーガー、ピーピー」

結局２人分の搭乗券を与えた。うーん、やはりネゴだ、と変な感心をしてＯ氏は次を待ったのです。

２番、３番……あと１人。

（アッ、それ俺によこせ！　こら！）

カウンターの中にいたもう１人のインド人氏（さっきこっちを見た人物）が何かしゃべっている。

「ジャパニ（注：日本人のこと）……ペラペラ……」

「そうだ、そうだ、俺日本人、わざわざ今日の為に日本から来た。インド大好き……」

（インド人がいなければもっと好き、なんて言ってた人もいたけど、今はナシ）

という次第で、カウンター氏に先程無駄話をしたのが効いたのか、最後の１枚をやっと手に入れたのでありました。

（ヤッター！　ヤッター！……でも……帰りが心配……）

〈そして、待合室〉

それにしても変だな～？　待合室にはどう見ても10人位しかいない？　別に団体が乗っているのかなー？　と思い、ガラガラの飛行機の中でパチンとベルトを締めて気が付いた。

そ～か～、
次のアグラで
大勢乗ってくるのだ！

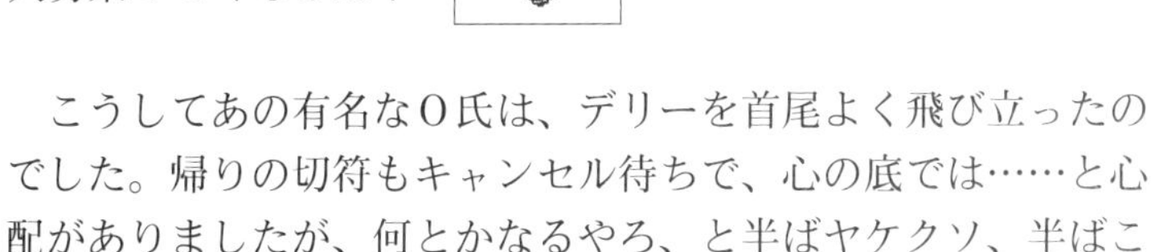

こうしてあの有名なO氏は、デリーを首尾よく飛び立ったのでした。帰りの切符もキャンセル待ちで、心の底では……と心配がありましたが、何とかなるやろ、と半ばヤケクソ、半ばここはインドだ！　と変事期待の気分でした。

カジュラホ到着！

着いたところは全くの田舎。でも、インドはインド人の少ない田舎が美しく、牧歌風。空港で客待ちしていたTAXIがインドの車にしては新しく、乗り心地もまあまあなので、この車で観光をする事にしたら、別の車を回しやがって、だからインド人は、ブツブツのブツ……。あの車は囮だ、ケシカラン！

さて、ホテルは？……流石、観光地の一流ホテル。設備は確かに★★★★★。

となると……何を置いても先ず風呂だ、風呂！

横道 ☞☞☞☞☞

デリーの冬は案外寒い。その上に、床が石なので底冷えする。寒いと困るのが風呂だ。あのバスタブに熱い湯を一杯に溜めることが至難。瞬間湯沸器（ギザと呼んでいる）一杯分しか湯が続かない。従って、ブル、ブルと震えながらシャワーを浴びるしかない。そこで、出張の一番の楽しみは、高級ホテルでバスタブに湯を一杯に入れ、ザブンと首まで湯に浸かる事なのです。ついでに。O氏が一番多く出張に行くラクナウという町には高級ホテルが無い。お湯は初めのうちしか出ないので、チェックインしたら先ず人よりも先にバスタブに湯を入れる必要がある。大切なノウハウ。

戻り道 ☜☜☜☜☜

かくして、かのO氏、折角の観光地に来ても先ず風呂とは、イヤハヤ温泉なら分かるが、アキレター。結局O氏は都合3回も風呂に入り、寝る前は、ホカホカと体中が火照って、(「カジュラホ」のせいもあったのか) しばらく寝られぬ夜となりました。

肝心のカジュラホ観光はどうなったのでせうか?

ウーン……大分夜も更けて来ました。通信文の枚数も増えてきました。

次回にしましょう。

次回は写真で見るカジュラホ大観光編……。それから、インドがインドである故の様々なハプニング……。

(インドですよ、ここは。何か起きますね、何かが)

お楽しみに。サヨーナラ。

ん?「カジュラホ」ってインドのどの辺りにあるの、って?

あれっ?　まだ言ってなかったっけ?

それは失礼しました。次頁の地図を見てください。

ついでにO氏の乗った飛行機のフライトコースの デリー ⇒ アグラ ⇒ カジュラホ ⇒ ベナレス(ヴァラナシ) も辿ってみてください。

カジュラホ（KHAJURAHO）位置図

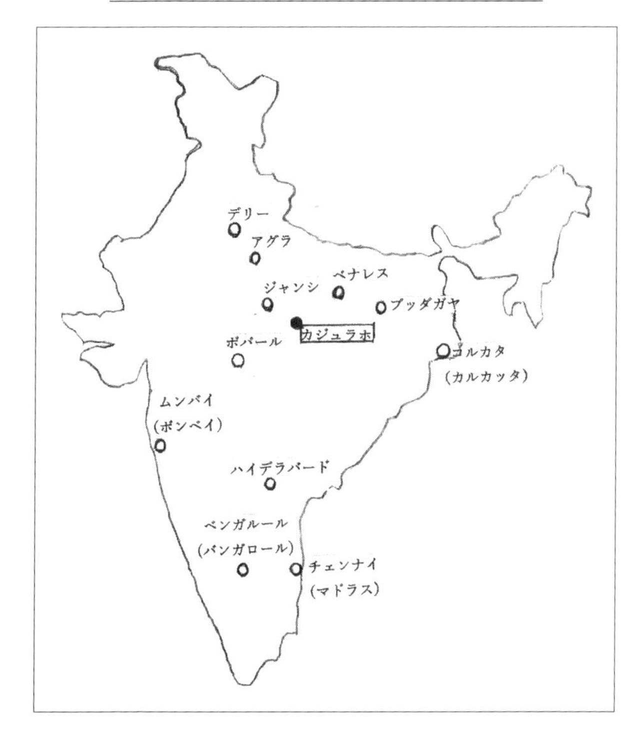

《第11信 完》

今は昔、
さて、カジュラホ（KHAJURAHO）の寺々を二日ばかりかけ首尾よく巡り歩き堪能しつつありし彼の男（をのこ）、天竺の地なかなかの曲者、おもはざるほかの事しばしばいで来るところにて、この地カジュラホにてもこの後かずかずのことにゆきあひて所在なき事なかりし。本朝より遣はされ既にして数年この地にとどまりたる或る「印度の達人」さきに曰く、あんにたがふ事のいで来たるとも失望せずましてや怒らず、次に何ごとか興ある事一刻も経ずしてまた生ずるを期し得て、天竺また楽しからずやと。彼の男、カジュラホよりの戻り道にて達人の言思ひだし合点すと、なむ伝へたるとや。

1988年12月23日

日本のみなさま

ニューデリー在 大泉正城

第12信 カジュラホ紀行の巻 その②

さて、【第11信】に続き「カジュラホ紀行の巻」の続編。

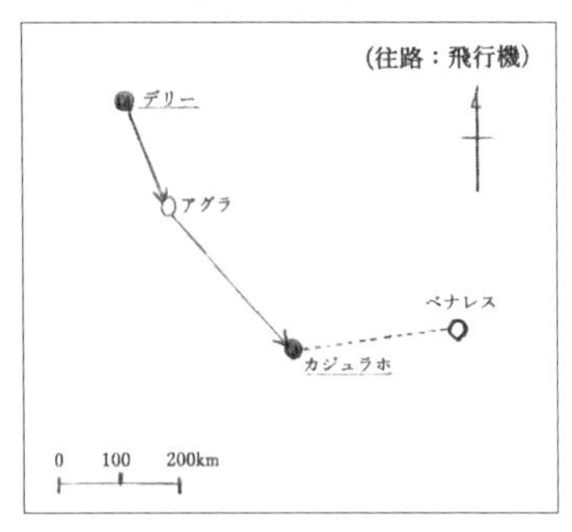

まるで奈良?! チャンデラ王朝の宗教都市

11月9日、インドの三大祭りの一つであるディワリ（DIWALI）の当日、かのO氏はカジュラホへ出掛けました。

カジュラホ村は、その昔（9

～13世紀）月の神の子孫を自称したチャンデラ王朝の宗教都市で、当時はヒンズー教寺院が85もあったとか。

今は草深い田舎で、石造りと木造りの違いはあるものの、遠くにお寺の建物が見えるといった、その昔の奈良のようなところ。

14世紀以降、かってのチャンデラ王朝の全領域は、偶像を嫌うムスリム軍に支配され、多くの寺院も破壊されて、今ではこの村に22のお寺が散在しているのみという。

数カ寺固まっているところは公園風に手入れしている。入場料格安。自称案内人、物売りがうるさくないのが良い。

（但し、O氏は既に印度人化しているので物売りが近寄らないという人がいるという話も聞く）

お寺の全体の大きさは、左の写真に写っている人物と比べて見ると、よく分かる。左の塔の高さが30ｍを超えているお寺もある。

完全に観光地化してしまったお寺も多いが、中にはこうして近郷の信者がお詣りに来ている「生きた」お寺もある。

基壇の左端にホーキのようなものを持った連中がいるが、掃除人に非ず。丁度この日は、ヒンズー教三大祭りの一つディワリDIWALIの当日で、近郷近在のお百姓が孔雀の羽根を持って踊りを奉納に来たところ。孔雀はインド三大神の一人であるヴィシュヌ神の乗り物。この人達は、従って、ヴィシュヌ神に帰依している人達。

お寺の脇には神様の乗り物やお使い、又は神様の化身がいる（ある）。牛はシバ神の乗り物、お使い。日本の神社なら狐か狛犬と言ったところ。

牛ばかりでなくイノシシもいる。イノシシはヴィシュヌ神の化身。お腹の下に見える人間の腕と比べると像の巨大さが分かる。ヒンズー教徒は牛肉を食べないのは周知の事実だが、かと言って豚肉もあまり食べない。ヴィシュヌ神の化身であるイノ

シシが豚の先祖だからだろうか？

繰り返しになるが、カジュラホのお寺が有名なのは、その壁面を埋める彫刻群。砂岩を彫った彫刻がびっしりとお寺の外壁を埋めている。

鏡を覗き込んだり、髪をいじったりったり、アイシャドーを塗ったりしている何百という舞姫の像が明るいイ

ンドの太陽の下で輝いている。

？

コレハ何をしているところでしょう？
中世インドにも水虫がいた？
ブッブー。
よ～～く見ると……。

これは多分足の爪にマニキュアをつけているところでしょうかね？
見えましたか？

それにしても石像とは思えないほどの雰囲気を持った像がアチコチにあり、思わずタメ息が出ます。
望遠レンズを持ってくれば更に良かったのですが……。

〈来た！　来た！　その1〉

……という次第で、かのO氏は2日かけて（11月とはいえ何しろまだ暑いですから、大事を取って、実動半日×2日）、「お寺詣り」をしたのであるが、果たしてこの旅はこの後平穏無事であったのであろうか？

インドですよ、ココは。何か起きますね……。これ迄の経験からすると……。
そうです、起きました！　期待通りに！　これだからインドは堪えられない！　ヨダレが出

てしまう。(キタナイネー)

前頁写真は何をしているところでしょうか？

ポリ容器からガソリンを注いでいるところなのでアリマス。

何故、道路の真ん中でガソリンを入れているのでアルカ？

「ガタガタ、ブルン、ブルン、シュー」とエンジンが泣いて止まったのです、車が。道の途中で。運転手は慣れたもので、「アッ、ガス欠だ。NO PROBLEM（問題なし)、一寸待て。ガソリンスタンドが近いから一寸行ってくる」

と言い置いて消えてしまう。彼のO氏、これが1年前だったら運転手を捕まえて逃さず、ガミガミとやったのでしょうが、今や少しも驚かず、あっそー、それでは一休みと、道端の木蔭の石に腰を下ろして、何か始まらぬかなー？……。

来た来た！

待っている間に、近在の村の若者が、お寺にお祭りの踊りを奉納する為に、孔雀の羽根の束を持って通り過ぎていく……。太鼓をリズミカルに鳴らしながら……。

間もなく自転車にガソリンスタンドの若者を乗せてポリ容器を持ったタクシーの運チャンが帰って来ました。

そしてポリ容器のガソリンを自動車に入れる……（前頁の写真）という次第。

〈来た！　来た！　その2〉

な！　な！　なんと！　帰りの飛行機がキャンセル!!

O氏、その日2日間の「お寺詣り」を満喫し、さてこれから飛行機に乗ってデリーに帰ろうとホテルに戻って来たのでアリマス。

場面はホテルの入口です。

「MR. OIZUMI ？」（OIJUMIでないのが先ず気に入った）

と、来たのでアリマス。

流石有名人ともなると顔を見ただけでホテルの支配人にもMR. オイズミが分かるらしいと、マハラジャ気分にとチラッと染まりかけたものの、どうもおかしい……と第六感が告げました。

「あなたの飛行機は、本日キャンセルとなっております。従って、今日又ここで1泊するか、別の航空会社の飛行機をトライした方が良い……」

ひゃー、来た！（「困った」という気持ちと「来た！　来た！」という期待感混じりの気分）と思ったものの、顔には出さずに、「左様であるか、そのようなことは最初から予定の内、慌てず騒がずの心」という態度でいると、続いて、

「貴方の航空券は予約完了済みであるか？　何々？　キャンセル待ちのまま？　それはマズイヨ。予約が出来ていない場合のホテル代は本人持ちデスヨ」

それはウマクナイ。泊まらずに何とかしてデリーに戻る方法を見つけねばならぬぞ。車で途中までは行けるとしても……。

そうだ！

「鉄道の駅は近いのか？」

「鉄道？　鉄道ね〜、ここからTAXIで4時間位かかるよ。ジャンシ（JHANSI）という所まで行けば列車があるよ」

何？　ジャンシ？　ホー、ジャンシ迄4時間？　それなら何とかなりそうだぞ。

「吾輩は……鉄道の仕事をしている者である。ジャンシから夕方出るデリー行きの特急が最近出来たと聞いている。それに乗れば良い筈であるが？」

ふーん、お客様は只者ではない──と見たか、

「そうである。夕方6時頃の特急である。それに乗る為には直ちにホテルを出発の必要がある」
　ということになり、せっかくもう一度風呂に入り飯でも食ってと思っていたのが全部ダメ。

　先ず直ぐにカジュラホの飛行場に駆けつけ、「別の航空会社」（インド国内便は、国営のインド航空の独占状態で、この「別の航空会社」は、弱小航空で保有機はプロペラ機。→つまりは、できれば乗りたくない）の飛行機を調べると、既に予約で満杯、更にもう数時間も遅延していると聞き、やはりか？と半分胸をなでおろして、そう、やっぱり鉄道だ！

　しかし……しかしですよ、ここはインド。
　ジャンシ迄のTAXIも途中で追いはぎに出遭うリスクがあり、追いはぎが出たらどうしよう……。「アタシお金無いよ」で通るかなー？　だが……まあ、それも貴重な経験と思えば……。

　という次第で、迷いは残り乍らも再び空港からホテルにとって返し、部屋に飛び込み、バタバタと荷物を纏め、ステンレス魔法瓶の水筒にミネラルウォーターを詰めさせ（インド旅行では必携）、TAXIを雇い、あたふたと（TAXI代をボラレナイように、外見は落ち着いて見せ）あの「インドの名車」アンバサダーの4時間の旅に乗り出したのです。

　途中カジュラホ飛行場の脇を通るので、念の為飛行場でその後の状況の変化を調べると……。予定していた飛行機は、出発地デリーから飛ぶには飛んだのであるが、デリーを出るのが遅くなった為、アグラ、カジュラホ、そして折り返し点のベナレスまでしか飛ばず、カジュラホには今日戻って来ない——という情報。

（カジュラホの飛行場は小さい為設備が不十分で、夜間の発着はしないとのこと）

そこで、いよいよ覚悟を決め、あのインド国産の国民車アンバサダー（ばねは板バネ）に乗ってガタガタ道を4時間揺られることになったのです。

生きて帰れたのであろうか？　O氏は？

生きて帰ったからこそ、こうしてインド通信が届いているのですよ!!

途中のデコボコ道でボーンと飛び上がり、頭を天井にぶつけるなどの「事故」はあったものの、インドの正月風景（このお祭りの時期はインドの旧正月のようなもの）、デカン高原の雄大な地平線、そして当時のインドの国産車で4時間のドライブ（結局のところ、運転手氏も状況を分かっていたのか、早く着いて早く家に戻りたかったのか、多分その両方だったのでしょう、猛スピードで飛ばし、3時間でジャンシ駅に到着）と、普通では味わえない経験をしました。

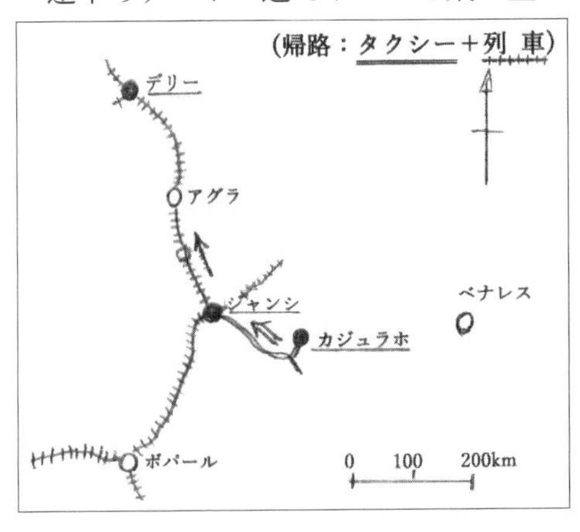

寄り道3：生きて帰れたのであろうか？ ☞☞☞☞☞

実は……この問いは、本当は冗談ではないのです、インドでは。インドの道を走っていると、時に道の途中に黒いフンドシ状の物が落ちています。最初の内は？？？　で通り過ぎるのですが、2回、3回と重なると運転手に「アレハ何デアルカ？」と聞くことになります。
曰く「タイヤ、デアル」
答えを聞いても？？？　は収まりませんね？
インドのタイヤ（実はタイヤのチューブ）はフンドシ状に平たいのか？「タイヤ」を捨てるほどインド人は金持ちなのか？　考えても分からぬので、又運転手に聞くことになります。すると「パンクしたのでアル」という答えが返って来ます。パンクとフンドシはカンケイあるのか？？？
分からぬままに来たのですが、この間とうとう分かりました、命を懸けて……。アンバサダー（名だたるインドの“名車”）が走ったのです。あの４輪の車が……３輪で……。サーカスでした。
時は1988年11月28日（月）。このカジュラホの旅の３週間ばかり後のことです。場所は奇しくもジャンシ 。この日Ｏ氏はジャンシに出張で来ていました。某メーカーの人達とＢ重電機会社のジャンシ工場に行く途中で、ジャンシの駅からは、Ｏ氏はかのアンバサダーに某メーカーのＡＩさんという人と同乗していました。……走る、走る……車はアンバサダー……「バンッ！」と、それは突然やって来ました。パンクだ！　そら来た！　日本の車はパンクでも空気が知らぬ間に抜けて行き、何かガタガタするなー、おかしいなー、パンクかなー？　という具合なのですが……アンバサダーのパンクは違いました。先ず、「バンッ」と音がし、パンクだというのは直ぐ分かりました。それから車がガタガタガタと走り（あー、リムで走っている、タイヤがだめになるなー）というのが頭をチラッと“横切って”いきます。運転手がハンドルにしがみついて走行方向を必死に維持しているのが見えると同時に、ワッー!!　前方からも車がやって来るのが見えました。
コレハマズイ!!　と思っても、ガタガタと揺れながら走るアンバサダーから降りる訳にはいきません…………………
……で？……どうなりました？　ハッ〜〜……止まりました。
車の外へ出てみました。アレッ？　無い？　無いぞ！　何が？　そうなんです。前輪の片方が無いのです。つまり車は３輪のみで走っていたのです。バーンとタイヤがバーストBURST（破裂）し、走り続ける間にゴムタイヤ／チューブは吹っ飛び、リムも飛んでしまったのです。かくして車は杖も突かずに３輪のみで走ったという次第です。前から来たのが運悪くトラックかバスであったら……。まッ、考えるのはよしましょう。
もう分かりましたね！　そうです。「黒いフンドシ」はバーストしたタイヤ（チューブ）のなれの果てなのです。

戻り道

　この日、カジュラホよりの帰り道、O氏は「信心深く」お寺詣りをしたせいか、無事ジャンシに着きました。
　ジャンシからは、インド国鉄自慢の最新型特急シャタブディ号（世紀号）にも乗ることができたのでアリマシタ。

　特急の社内（普通車）。
　ゲージは広軌（1,676㎜）ですから、車内は余裕があります。

　そしてこれは？
　そうです、特急のトイレです。（上から写している）どうやって用を足すのか、お正月の間に考えてみてクダサイネ。

トイレの写真にO氏の足が写っていましたが、「割愛」しました。

－カジュラホ紀行の巻　終わり－

お年玉：

11月28日のジャンシ出張には、実は、もう一つハプニングがありました。レールの溶接部分が外れ、O氏一行の乗った列車は直前でストップし、この間、曲がったレールを、人力で鉄棒を使ってガンガンと叩き直した上で、列車は……ソロリ……ソロリ……と現場を通り過ぎたのです。
O氏は勿論、列車が止まると共に、又何か面白そうなことが起こったと見破り、列車を降りて現場に行き、作業者が鉄棒を振るっているのを見物していました。途中で気が付き、写真機を取りに席に戻ったのですが、インド国鉄も恥ずかしいと思ったのか、「ピー」と汽笛を鳴らし、列車を走らせてしまったので、折角の場面を撮り損ねました。

今回も有りましたね、インドならではのハプニングが。
次回はどうでしょうか？

では、皆さん、良いお年を……。

《第12信 完》

今は昔、
天竺はお釈迦様の国にして、日頃人みな生き物にのぞみては優しく殺生をいとふ国柄なり。それによりてか、あくたむし（芥虫＝ゴキブリ）、鼠といへども人にあくまで差詰めらるるならひに乏しく、人前にてウロチョロはすれども、サッ、サッ、ササーッと逃げのくすばやき動きせず。しかるに本朝よりその天竺にさし遣はされし彼の男(をのこ)、いかなることにてかお釈迦様の国にて鼠を追ひ回せしことありと、なむ伝へたるとや。

1989年2月12日

日本のみなさま

ニューデリー在 大泉正城

第13信 返り討ちの巻

フーン！　フーン！

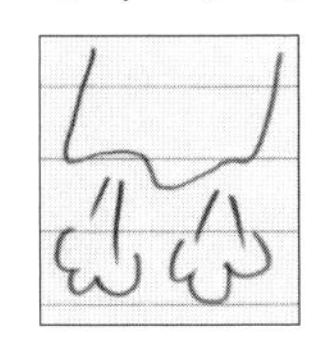

鼻息が荒い！！

フーン、フーン

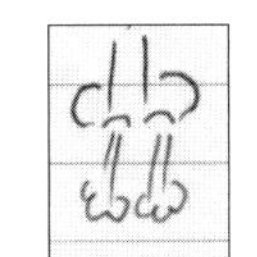

もう11日の夜中（12日の00：00）
なのに敢えて筆を執った。

チュー国の住人出現！

晩飯は自炊なので簡単にしようと思ったが、このおかげでスープ付きのステーキを食べてしまった。

Q1：今日というか、昨日というか、土曜日なのに何故自炊か？

つまり、今日というか、明日というか、日曜日であるがお客が来るので使用人達の休日の振替をやったのである。そこで、今日というか、昨日というか、今晩は自炊なのであった。

Q2：ステーキを食べて興奮しているのか、興奮したからステーキを食べたのか？

後者である。

Q3：何をそんなに興奮しているのか？

とうとうヤッタのだ!!　何をヤッタのか？　だって？
そうなのだ、ヤッタのだ!!　遂にヤッタのだ!!
これが興奮せずにおられるか?!
ステーキを食べることにした原因だ。

こいつだ！

目は小さい。お前に似てる？
余計なお世話だ。
意外と口がとんがっていた。
毛が生えていた。

つまりチュー国の住人、ネズ公だ。又いたのだ。

この間インドの首相が久し振りで訪中し、両国の関係改善を図ったのでチュー国からのチュー公の侵入は無いものと思っていたのに、両国首脳の意思を無視して侵略を図ったので止む無く自衛措置を取った。
（それは、中／チュー違いではないか？　そうか、それは申し訳なかった、今後チュー意する）
　今はもうコーヒーの空き瓶の中で三途の川を渡っている。

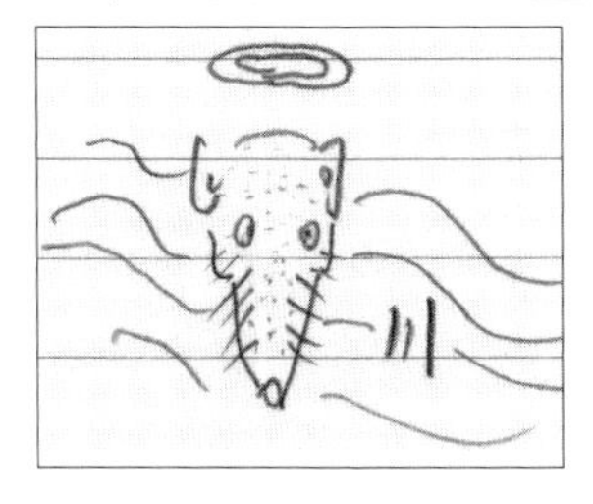

　明日（というか今日）使用人達に見せて、「チュー公に気をつけるベシ」というお説教をタレル為の材料として空き瓶の中にお入り頂いている。

Q4：何故ネズ公がいたのか？

それはネズ公に聞いてくれ。ともかくいたのだ。
察するところ、この間スリッパの一撃(う)ちでコロリと逝(い)ったチビネズミ（⇒インド通信【第５信】インド大スキー行の巻その②を参照）の親ネズミが仇討ちに現れたのではナカローカ？　子供のケンカに親が出てくるような逆縁仇討ちは成功する筈がなく、返り討ちにしてくれた。フーン！

Q5：「とうとう」と言ったが、
今迄にもウロチョロしていたのか？

そうなのだ。今迄に３～４回見かけて１～２回追いかけたことがあるが、逃げられたのだ。そして、「とうとう」今日ヤッツケタのである。

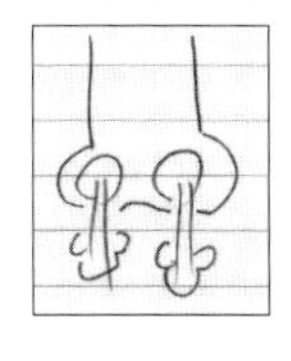

フーン、フーン。
まだ興奮しているのだ。

Q6：何処にいたのか？

今回（というか、今度のチュー公）は台所を住居としていた模様。何れも台所の中で見かけたのであるが、台所で齧られた物が無いので、本当の住所は不明なのである。無宿者とも思われる。

Q7：一匹だけか？

それがよく分からない。今までに見かけた奴はもう少し小さい奴であったような気もする。或いは、まだいるのかも知れないが……。

Q8：どうやって捕まえたのか？

御用！　御用！　と取り押さえた。

Q9：本当か？

ウソだ。

Q10：ウソをついてはイケナイ。エンマ様に舌を抜かれる。本当か？（どこかで質問と回答が逆になった）

Q8 に対する回答まで逆戻り。
その前に、Q6 の詳細場面を。

現場の見取図がよく分からない人は、あの同居人だったKC君に聞いてクダサイ。

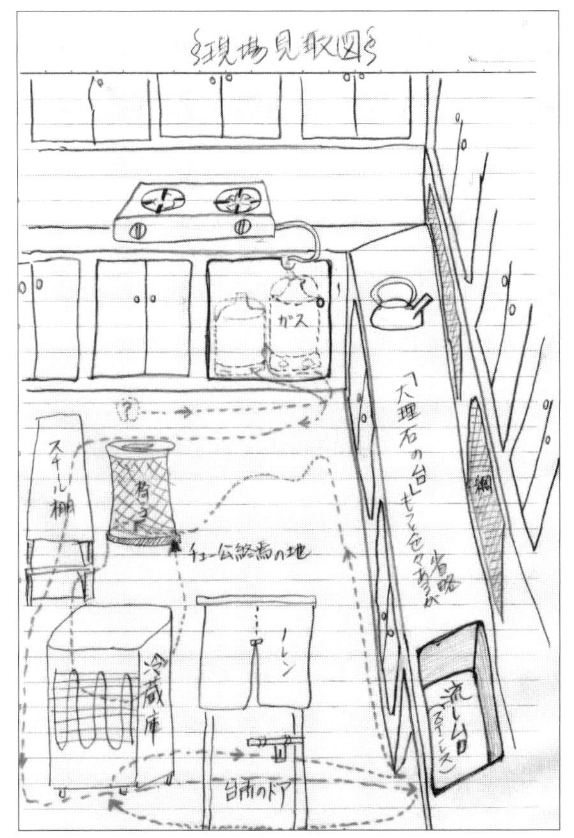

どうもガスボンベを収めてある場所が休憩所らしく、何時もその中へ逃げ込み、その先が行方不明になっていた。
（ガスボンベを動かして調べてみたが、何時も煙の如く消え失せていた）

今日も台所の戸を開けた途端に何かがサッサッサーと動き、ガスボンベ収納所に逃げ込んだのを見かけた。
（ガスのゴムホースが潰れぬように戸を少し開けてある）

再びQ8（どうやって捕まえたのか？）に対する回答へ。

そこで台所のドアを閉めてチュー公が逃げぬようにして、書斎にキンチョールを取りに行ったのである。我が家には消火器は無いものの、代わりに「非常用」にキンチョールを何時でも取り出せるところに置いてある。「真の敵」は、火事ではなく、ゴキブリ、蚊、チュー太なのである。

Q11：何故キンチョールか？

そこがネズミ捕りのベテランO氏、ここはキンチョールでなくてはイケナイ。

（ネズミを捕まえたことの無い人、手を挙げて……。
アラー？　そんなに多いの。君達駐在員不適格！）

再々度Q8に対する回答。

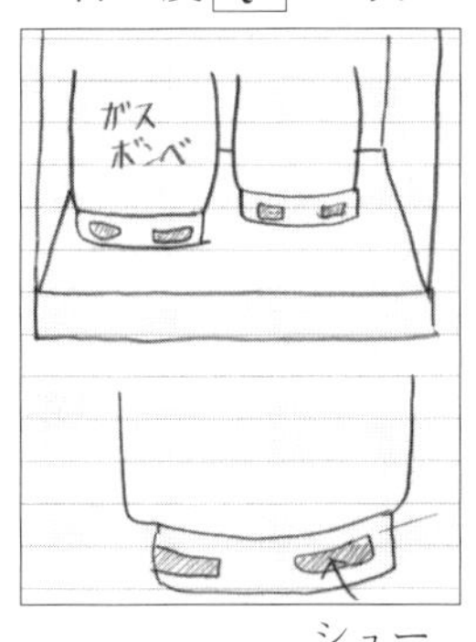

シュー

ガス収納所の戸を開ける。いる？
いない??　フーム、見えない。
そこで、ボンベの足の穴の中へキンチョールを散布したのである。ガス攻撃は国際条約で禁止されているのであるが、敵が自分からガス弾の中に入って、ココマデオイデと言った（？）ので、コチトラもキンチョールでシュー。

今迄は、この後煙の如く消え去っていたのであるが、今回は「出た」のである。そこで、見取図の「…………→」の如く追いかけ、冷蔵庫の下に逃げ込むとシュー、スチール棚の下に逃げ込むとシューと追い出し、サンダルで踏みつけ追い回すこと

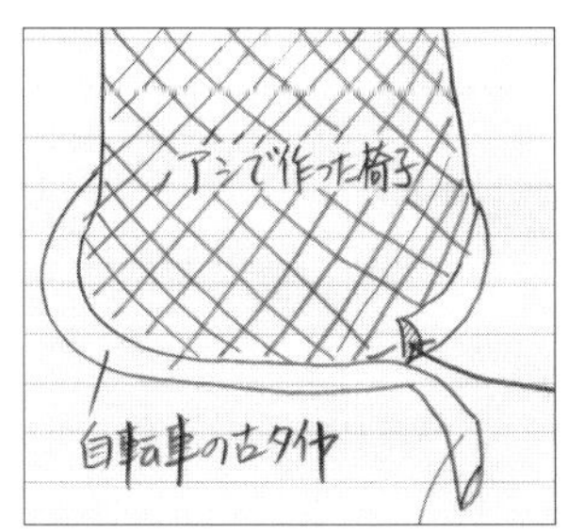

数周。この間チュウ太は「チュー、チュー」よりも「キィ、キィ」と逃げ回り、大捕り物。最後に逃げ込んだところは……。

☜この中に逃げ込んだ

☝一部緩んで取れかかっている

そこで、この椅子の古いタイヤ巻きの部分を足蹴（キック）にして、更にキンチョールを送り込んだのデス。

するとチュー公は堪（たま）らなくなって古タイヤより出ようとしたが、尻尾がタイヤと葦で編んだ椅子の間に挟まって動きが取れなくなり、遂に御用。

これでインド亜大陸におけるチュウ公戦の戦果は２勝。

明日（いや今日か？）はこの余勢をかって、久し振りにゴキブリ部隊に攻撃をかけてみるか？

（第一次ゴキブリ戦役は「インド通信【第９信】をドーゾ）

では又ネ。

夜も更けたし、鼻息も落ち着いた。Good night!　お休み！

追申：

今夜はチュー公が化けて夢の中に出てくるかも……そうだ！念力でチュウ公に東京観光を勧めよう。誰か案内してくれる人いない？

《第13信 完》

今は昔、
弥生月半ばともなれば、天竺は春と初夏を一度に迎へ、あさましき暑熱を前に束の間の花咲き乱るる季節となり、都の外れに極楽もかくやと見まがふ有様出現す。これに依りてか任半ばに至りて目覚めし彼の男(をのこ)、都のをちこちに点在せる古(いにしへ)の隠れたる物見どころを、天竺に遣はされしもろもろ及び本朝のともがらに知らさむと書き物(「デリー、七つの都の物語」)なぞ始めたりと、なむ伝へたるとや。

1989年3月15日

日本のみなさま

ニューデリー在 大泉正城

第14信 インド生活この頃の巻

早いもので、某商社の印度駐在員のO氏の印度生活も着任ベースでほぼ半ばとなり、いよいよ後半戦を迎えようとしています。この季節は、冬も終わり、春と初夏が一度にやって来て、あの恐怖の夏を迎える前の束の間の「天国」ともいえる時期です。

インドにも春が……

インドの春(去年はあまり意識しませんでした。理由は不明ですが、去年は三相交流電気機関車の入札直後であったせいかも知れま

せん）をお目にかけましょう。

インドにも春があります。どうですこの景色！

ニューデリーの街中の一画ですぞ。遠くに見える白いドームは、フマユーン廟（ムガール帝国第２代皇帝HUMAYUNの廟）。かのオベロイホテルより徒歩７〜８分。これが印度だろうか？「極楽」とはこういう景色から生まれた概念カモネ。

これ又、もしかして、桜ではないだろうか!?

それとも……花までがモドキか？「サクラモドキインディカ」??

という訳で、迫りくる夏を頭の中から追い出すのに一所懸命のこの頃です。

春から夏へ

デリー日本人会名物のソフトボール公式戦も終わりました。たかがソフトボールですが、デリーの日本人会では、そしてO氏／ＫＢ氏の属する某商社でも、非常に熱が入っており、これで結構日曜日がつぶれます。（ボスが元某大学？　の野球部出身というせいもある？　と言う人もいるとか、いないとか??熱が入り過ぎて、試合の翌日の月曜日の朝会や昼食一弁当持参一での「反省会」の雰囲気がドーモウマクナイという前日のエラー／三振組もいますが……）

今回の公式戦に優勝すれば某商社のチームは５連覇でしたが、

残念ながら今回は準優勝（5勝—3敗）でした。優勝チームには本格派投手がいて、上手投げと同様のスピード・ボールがビューンと入って来て打ち崩すことができませんでした。

因みに、某商社チームの勝ち星3つは何れも1点差で、引き分け1つ、決勝トーナメントに残った4チームの中で得点差がマイナスなのは当チームのみという「石橋を叩いて渡らず」振りを発揮しました。

ソフトボール公式戦が終わればいよいよ夏。

この夏の間、まだゴルフを始めていないO氏は一体全体どうやって過ごすのか？　冷房の効いた部屋で読書か？

（停電しますゾ、停電）

ところが、ところが……目覚めたO氏はせっせと皆様の為に、（「皆様の為」が重要）ボランティアで印度をご紹介しようと一大決心をし、仕事の合間に（あくまで「仕事優先」が大切）カンコー（＝美しいモノを愛すること）に精出すことに決めたのでアリマス。

寄り道 ☞☞☞☞☞

ところで今日は3月15日（水）、インドは休日だろうか？

O氏は今何をしているのだろうか？　えっ？　家にいる？

どーしてぇー？　回答：夏が来るからです。

夏が来ると家で仕事をするのか？　回答：夏が来てからでは遅いのです。？？？

追加の回答：電気工事の監督をしているのデス。

監督？　回答：ソーデス。印度の工事/修理人は監督をしていないと何をヤラカスか分からないのです。ガラス戸にグリル（鉄格子）を取り付けるのに邪魔ならガラスのみならず戸枠も壊そうという連中です。壁を塗るのに床やドアが汚れる事は一切お構いなし。床のセメントを磨く連中は壁が汚れようとドアを壊そうと関係ナシで「NO PROBLEM（問題なし）」。
ソーデスカ……ところで、今頃何の電気工事デスカ？
回答：昨夜壁のスウィッチの一つをパチンとやったら嫌な予感がしたのです。そうです。印度に長くいると霊感能力が出来て、「あー、レギュレーターが燃えるなー」とか、「スウィッチボードが火を噴くなー」とか、「屋内配線が燃えて部屋に電気事故特有の煙とニオイが出るなー」というのが予知できるようになるのです。従って、予知能力とか霊感能力に疑問を持っている人はインドで生活してみることをオススメします。会社を辞めても占い師として食べていけるようになりマス。
印度でご一緒に生活した……あのＫＣ君もソーデスか？
回答：……個人差が……ある事は……認めマス。それに彼の場合は期間が短かったのでして……。
ところで、何が起きたのですか？
回答：そう、屋内の電線が燃えてモクモクと煙が出てきたのです。つまり、壁の中を走っている配線の何処かがショートしたのです。これから夏に向かい冷房その他で電力を使う為、あまりウマクナイ事態なのです。そこで、デリー電気局の人間を呼んだのですが、何と……壁の配線のやり直しという大工事となってしまったのです。
まあ、暑い夏の最中に冷房が止まるという事態からすれば、今の内に完全に（気休めですが）直しておいた方が良いだろうと強いて思っているところなのです。

戻り道

そうそう、電気工事はともかく、話はどこまで行ったんでしたっけ？　そう、O氏がカンコーに精を出す一大決心でしたね。
「一年の計は元旦にあり」ということで、今年は（も？）早速この一大決心を正月より実行しました。正月は「お父さんの単身生活ぶりを視察（「監視」との説もあり）」にデリーにやって来た家族のサービスに努め、今年はかのスキー大旅行も夢か？　と思わせましたが、そこはネバリのＯ氏、再び「インド大スキー行」を決行し、ひたすら「観光ポイント紹介路線」をまっしぐら。

〈観光ポイント紹介路線 その①〉

１月26日（木）共和国記念日～１月29日（日）の３泊４日グルマーク（GULMARG）スキー行。

初めての人の為に：

グルマークはインド最大のスキー場で、デリーから北のスリナガル（SRINAGAR）へ空路1時間、スリナガルからTAXI－ジープを乗り継いで２時間、のところにあるスキー場です。

チェアーリフト１基、T-バーリフト４基、外国人の泊まれるホテル２軒、というカシミールの山の中のスキー場。

（詳しくは、昨年の奮戦記「インド通信【第４信】【第５信】をドーゾ）

２度目の人の為に：

どーです？
今年は有るでしょう、雪が。

かのO氏、
旧世代に属する為、
出身部隊のために先ずは
お仕事を。

今、グルマークでは、数年がかりで（何故数年か？　ここは印度デス）ゴンドラリフト（ケーブルカー）の建設が行われています。

仏のメーカー、ポマ（POMA）が印度のメーカーを下請けに、全長5㎞、高度差1,500ｍ（計画による終点標高4,150ｍ）というゴンドラリフトを建設中。

何時完成するのか？
答：？？

（「お仕事」はここまで）

今年のホテル
昨年より高級。

３～４部屋ずつの建物が
別々に独立してる。

←カシミールの山々。

余談

今年もいましたネ〜、日本の女性が。
カシミールの山奥に女性一人（？）でスキーに1カ月も。
不思議……。

〈観光ポイント紹介路線 その②〉

時間が前後するものの、1月15日のデリー郊外の史跡トゥグルカバードTUGHLAQABAD。

ここはO氏の好きな場所。これまでも何回か出て来ましたが、デリーにある14世紀初めのトゥグルク朝の都城址。広大な城址であり、この日歴史探訪も兼ねて城址一周のハイキング。

豪壮な城壁の上から眺める夕日が特に素晴らしい！

足が短く写っているが、城壁の上に置いたカメラの位置の問題であり、“NO PROBLEM”

〈観光ポイント紹介路線 その③〉

そして、このところ凝っているのが、写真で見る「二度目のデリー」という、中世デリーの歴史ポイントを足で回る案内書の作成。一度目ではどうしても見落としてしまう、日本人向けの観光案内書には載っていない、デリーのポイントを見て回ろうという企画。

陰の声：
「二度目のデリー」などとは縁起でもない……。
何か良い題名はありませんかねー？

その一端を次に紹介しましょう。

フマユーン（HUMAYUN：ムガール朝第2代皇帝）の廟は有名。

その直ぐ近くに、ブ・ハリマ（BU-HALIMA）の庭園と呼ばれる場所があり、高貴な女性の墓所とのみ知られる由。（名前は不詳の由）

この墓所の隅にまだ鮮やかな色タイルの残った塔がある。

今は色タイルがはげ落ちていても往時の美しさを偲ばせるに十分な遺跡。

同じく、フマユーン廟の近くに、
アラブ・キ・サライ（ARAB-KI-SARAI）と呼ばれる隊商宿の門を飾る色タイル。

それでは又。

電気もう直ったカナ〜？

追記：

仮題「二度目のデリー」は、後日「デリー、七つの都の物語」として、デリーの南の郊外に散在する中世〜近世デリーの歴代スルタン政権（12 〜 16世紀）の七つの都城遺跡とそれらにまつわる歴史物語を紹介する読み物として纏め、「インド通信」の付録として内地の読者に当時提供されました。

《第14信 完》

参考：

グルマーク・スキー場のゴンドラリフトは、第Ⅰ期1998年完成、第Ⅱ期2005年5月完成（終点高度：3,980 m）。
高度、距離ともに現在世界2位を誇る。ゴンドラは6人乗りで、第Ⅱ期のロープウェイには36台が装備されている。

今は昔、
彼の男（をのこ）の住まふ里隣に火出でしことあり。これによりあたりおよそ一日の間灯ともらず（大停電発生）、本朝より運び後生大事に氷室に取り置きし、男が命とも頼む、くひものみな腐（くた）すうれひ出で来たりしことありと、なむ伝へたるとや。

1989年9月9日

日本のみなさま

ニューデリー在 大泉正城

第15信 火事⇒停電＆日本食 事件てんこ盛りの巻

今日は奇しくも重陽の節句である9月9日（もっとも新暦故あまり意味ないが）、本来ならば菊でも見に行こうかなどという風流心に近づく機会もあろうものを、どういう訳か天竺の地で蚊の気配に怯えている某商社のO氏。

健在でした、O氏は。

去年の今頃は丁度デング熱でウンウン唸っていましたが、今年は蚊取り線香2つに電気香取り線香も防衛戦線に加えた為か、まだ敵機にはやられていないようです……。

皆様、今日和（こんにちわ）！　ご無沙汰しています。

今年は、【第14信】（3月15日）の後、どういう訳か筆が進まず今日迄来てしまいました。多分仕事が忙しくて筆を執る暇も無かった（？）のでしょうネ。（ボーナス向け発言）

最近のインドは……あまり変化なく。

①“○人殺される”（様々な政治的理由で）
②“ボフォース”（印度版ロッキード事件）
③“野党の離合集散”（総選挙年内実施？）

といったところがニュースの常連です。
日本に対する関心は増々高まっているようで、桃色政界スキャンダル、土井社会党委員長、海部首相誕生辺りがかなり詳しく報道されています。

この辺りは又次号で報告するとして、O氏に再び筆を執らせた最近の事件。

①ネズミ「御用」１匹目事件

同じ某商社デリー事務所で鉄道車輛案件担当の若手ＫＢ君がネズミを捕らえ「一人前のインド駐在員」として認められた事？　ネズミも捕らえたことの無い者は、当地では駐在員に適していないという考課になる（？）ということは、以前のインド通信でも触れたのであるが、では、同君は合格か？

難しいところである。
という訳は、「捕らえた」というより、ネズ公は勝手に「くっついた」からである。つまり、ベテラン駐在員のO氏ともなると、既報の通り（⇒インド通信【第13信】参照）、ハエタタキ／キンチョール／ゴムゾーリ／コックのラオなどを動員してネズ公を追いかけ回し、文字通り「捕らえる」のであるが、同君の場合、ハエ取り紙の強力な奴を使い、ネズミの方が勝手にくっついたのである。
同夜、同君はゲンナリした様子で食事に呼ばれた同僚の某氏宅に現れたのであるが、２匹目、３匹目ともなれば強者（つわもの）駐在員になることでありましょう。先ずはメデタイ１匹目。

（イヤ、イヤ、この件に非ず）

②「アサヒ・スーパードライ」没収事件

日本食が手に入り難い駐在地に対しては、日本船積までの（FOB）の料金は自己負担であるが、海上運賃、保険料、現地引き取り料等は福利厚生として会社が負担してくれる「日本食送付制度」という制度がある事は知っている方も多いと思う。

かなりの種類の食品を入手でき、印度もこの制度の適用地域であるが、最近送付可能品目に「アサヒ・スーパードライ」が加えられた。常々日本でのこのビールの評判を聞いていたO氏は、喜んで3カ月ほど前にこのアイテムを注文したと思ってください。

やって来ました、届きました！　荷物が。8月末のことです。

この日本食が届いた日、心が豊かになり、箱より一つ一つ取り出し貯蔵庫（棚）に並べ悦に入ったことのある海外駐在員経験氏は多いことと思う。

（そう！　守銭奴が甕のお金を数えている図！）

ところが、無い！　無いのです。あのスーパードライが。

しかも他の物は全てあるのにスーパードライだけが……。

アー。（落胆のタメ息）

やはり、あの話は現実か……。

数日前事務所内での話。

「今回ビールを注文して税関で没収された奴がいる。印度では酒類は輸入禁止……」

（これは間違い。税金さえ払えば輸入可能。ビールを敵視する奴は敵だ！）

この後で、KB君はがっかりしていた。O氏は皆がダメなら仕方がないとアキラメ。

ところが、又その後、皆ビールが無事に着いていたとの話で、O氏もイソイソと箱を開けたのであるが……。
「嗚呼無情!!」
O氏のあまりの落胆ぶりを見かねて、カワイソーとＫＢ君より１缶寄付を頂いたのはその又後の話。

（アーソー？　この事件でもない？）

③O氏が何か血迷って肉離れを起こした事件

（これは未だ語るには早い話で、秘密公開期限未到来。よって、この事件でもない）

事件Ⅰ：FIRE？　火事？

そ〜……事件は９月７日の夜のことでした……。
ＫＢ君が、カワイソーと持って来てくれたスーパードライを飲みながら２人で食事をし、ＫＢ君が帰った後、そろそろ寝るかと寝室でパジャマに着替えていた夜の11時頃……。

電灯がフワー、フワーと波打って明るくなったり暗くなったりし、クーラーが動いたり止まったりし始めたのです。あー又電圧変動が始まったなー、今日のはかなり程度が激しいなーと思っていたところ……。
部屋の窓をドンドンと叩く奴がいる。
何だ今頃？　誰だ？　とカーテンを開けてみると、ガードマンが「FIRE!　FIRE!」（火事です！　火事です！）と叫んでいる。
FIRE?　火事？　フーン、火事ネ？
表通りに面した応接間からは今戻ったばかりで何でもなかっ

たし、台所も見たばかりだし……？？？

大体インドの家はレンガの壁で石の床だし、燃える物なんか無いではないか？

まあ外へ出てみるか……。

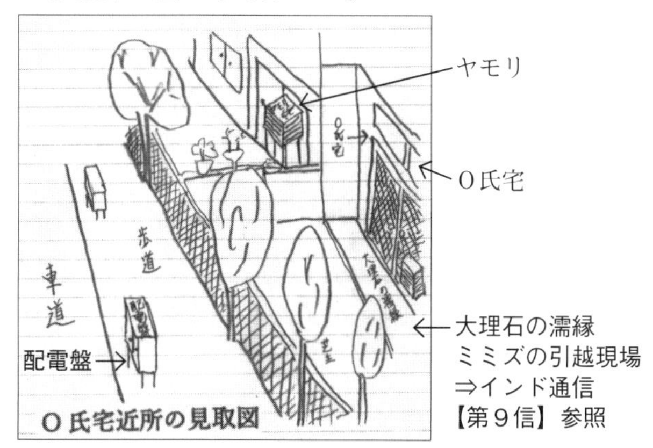

O氏宅近所の見取図

パンツのまま出る訳にも行かぬが、パジャマのズボンで良いだろうとパジャマを着て外へ出てみる。すると道路の方でバチバチ、シューシューと音がし明るくなっている。なるほど火事だ。歩道にある配電盤（地域の数軒毎のもの）が仕掛け花火よろしく煙を出しながら燃えている。

印度には電気の事故が多い。あまりに日常の事なので、又かと一寸見て引っ込むことにした。

何故事故になるのか？

原因１：電設器具が粗悪品。

原因２：工事がデタラメ。

我々素人でも、よくあんなデタラメな工事をすると驚くほど工事人は無知。

原因３：無秩序な追加工事

全体のシステムを確認せず、自分の工事に合わせシステムをいじくり回す。自分の工事の為に勝手に切断し、又繋ぐ。

原因4：ヒューズ、ブレーカーは電気を切るためでなく、切れないようにする為にあると考えている。現在の家に入居後ヒューズが切れたので街の電気屋に買いに行ったところ、驚くなかれ、普通の電線コード（0.5㎜程度の線を数本束にしてビニール被覆してある）を10㎝位パチンと切り、ペンチで中の線を引っ張り出して、それがヒューズだとのこと。

割り切れぬ気持ちで帰って来て自宅の分電盤を開けてみると……中には本物のヒューズらしきものも使っているが……あるわ、あるわ、殆どの「ヒューズ」は銅線（つまり撚線の内の１本を取り出したもの）を使っている。最初の内は釈然としない思いで「銅線ヒューズ」を使っていたが、最近では切れたらもっと太い銅線に変えて切れないようにしているのである。郷に入れば郷に従う……。

全てがこういう具合であるから、一軒の家全体では恐ろしい事になっている。当家には因みに「ヒューズ」が21カ所使われている。サーバントクォーター（SERVANT QUARTER）と呼ばれている、使用人の家（部屋）も同一敷地内にあり、やはり電気器具を使用しているが、こちらの方は見ると却って怖いので見にも行かない始末。

そういう恐ろしい家が数軒集まって道路の配電盤に繋がっているのだから、配電盤の方は恐ろしいを通り越している。知〜らないっと。

それでも火事が少ないのは（ビル火事は多いが、個人の家はあまり火事にならないようだ）レンガや石造りの家が基本だからであろう。

原因5 ・ETC. ETC.（その他いろいろ）

中に引っ込もうとするO氏を見て、ガードマンが、「電話！電話！ 101 101」と叫ぶ。なるほど消防署へTELか……。何時も寝ているガードマンにしては分かっているではないか、感心、感心と妙な気持で101にTELすると
「---？」
「住所？ A●● NEW FRIENDS COLONY.」
「---？ 何処だ？ ---の角を曲がったところか？」
そんなの知るか、こっちは外国人だ。地理不案内だ。
A●● NEW FRIENDS COLONY、A●● NEW FRIENDS……を繰り返すと、止む無しと思ったのか、こっちの電話番号を聞いて切れた。ヤレヤレ……。

もう一度外へ出て様子を見ると、物見高いインド人が集まり出してきた。今度は裏の使用人部屋に住んでいるコックのラオも現れ、
「旦那、旦那、電気を切った方が良い！」
ウーム、何と気が付く、普段は気が利かぬのが取り柄のようなボーッとしたところのあるラオだが、見直した。平時と危機管理は別物か……？ 大石良雄の例もあるし……と妙に感心し、全てのブレーカーを切り、ヒューズを切って、他になにか……と考えて見たが何も無し。
しかし、御主人様も何か適切な指示を出さなくては威厳が保てぬと考え直し、ガードマンを捕まえて、
「人が大勢集まって来たので、おかしな奴が入り込まぬようにしろ！」
コックをつかまえて、
「お前、部屋に鍵を掛けて来たか？ ドロボーが入るから鍵を掛けろ！」（……我ながら低次元だなー……）

そんな指示を出して、家の中に引っ込んだのでありました。
消防自動車も来たようであるが、火事は配電盤のみで終わり、消防自動車の必要もなく（電気に水を掛けたら余計ひどいことになる？）、電気局が地域一帯のスウィッチを切ったので鎮火したようであった。

事件Ⅱ：続いて停電!!　冷凍/冷蔵日本食の運命??

さて、火事は収まったものの次は停電が来た。
実は、こっちの方がもっと恐ろしい。冷蔵、冷凍中の大事な大事な日本食がパーになるからだ。配電盤の工事となると何時間停電するのであろうか？　その間、冷蔵庫、冷凍庫は大丈夫だろうか？　実にこの暑い夜をどうやって過ごせというのだろうか？　ウ～ム……。明日は東京のＴＢ部長代理と共に或る人物に朝駆けすることになっており、夜は夜で夜討ちを考えていたが……。
大人物のＴＢ氏は大部長代理だから１人で行って貰うか？　こっちは日本食の方が大切だ……。先ずは食う事だ。

当家の非常電源

さて某商社のＯ氏の自宅であるが、多くの先輩諸氏が印度での停電で苦しんだ経験を基に、1987年の大旱魃による大停電を機に、会社の費用で大型のバッテリーが設置されており、バッテリーの直流電源からインバーターを通して交流を取り出し、いくつかのコンセント、扇風機、蛍光灯が、停電と同時に、自動的にこの交流電源に繋がるようになっている。（全駐在員宅に設置）
冷蔵庫、冷凍庫の一部も（全部を繋ぐほどの能力は無い。当家には冷蔵庫が３台ある）上記のコンセントに繋いであり、普段は商用の交流で運転され、停電時にはバッテリーによりインバーターを経由して取り出した交流で運転される仕組みになっている。クーラーを動かすほどの能力は残念ながら無い。冷蔵庫／冷凍庫2台、扇風機2台、40W蛍光灯8本同時運転で3～4時間大丈夫という触れ込みだが、これ迄そんなに長時間運転した経験が無い。

当夜も勿論、即時この非常電源が稼働しだした。但し、今回は異常事態で事故復旧に何時間（何日？）かかるか不明の為、最小限に必要な冷蔵庫／冷凍庫各1台及び扇風機1台のみの運転とし、灯具は乾電池式の蛍光灯を使用して長時間の停電に対処することにした。（乾電池式の蛍光灯は、前任者からの引継書の引越荷物リスト編に必需品として入っており、日本から何台か持参してあった）

非常電源に繋がない冷蔵庫からは腐り易いものを取り出し、非常電源に繋いだ冷凍庫に移す作業を行い、暑い中で回る扇風機の下で寝たのは午前1時過ぎであったろうか……。

外では、焼けた配電盤やケーブルを取り換える作業を徹夜でやっているらしい。工事中に変な電圧・電流を流されても困るのでヒューズ、ブレーカーは切ったままであり、夜中に時々起きて工事の様子を見たが結局翌朝迄には終わらず、停電は継続したままであった。

翌朝（9月8日）

睡眠不足のまま6時半起床。

外の工事は中断されたまま誰もいない。5㎝ほどもある太いケーブルが掘り起こされ切断されたまま。やれやれ今日1日で工事が終わるかなー？　と心配しつつ朝駆けへ。

その日の昼

印度国鉄での打ち合わせより戻り、お客との昼食は日本からの出張者のＴＢ氏に頼み、自宅に戻ってみるがまだ工事中。運転手はこの調子なら今日中に終わると気休めを言ってくれたが、「印度哲学」五つの「あ」は言う。

印度では💡💡

㋐わてない（※慌ててはいけないの意）

㋐てにしない

㋐たまにこない

㋐んしんしない

そして、それでも、

㋐きらめないことが大切なのです。

（東京のＳＴ君、顧客の重電機会社Ｂ社とは、この精神で頑張ってくださいネ）

その日の夕

家族同伴で駐在している同僚に夕食に呼ばれていた為、７時半頃一度自宅に戻る。

付近一帯の電気が点いている！

やれやれ長い一日が終わった。どうやらバッテリーも保ったようだ。後は氷の解けた冷蔵庫が水浸しとなっているのを整理するだけだ……。

かくして、20時間ほどの大停電ではあったものの、被害は最小限に抑え、睡眠不足も、翌日が幸いに土曜日で、取り戻し、この１週間の「戦い」を終え、食料も守り通し、幸せな気持ちで寝ようとしているＯ氏であります。

出張者の皆さん！　Ｏ氏宅での食事も従来通り問題なく（量が多い、という問題がありますが、これはコックのラオが命を懸けているだけに解決の道は程遠い状態）出ます。ＴＢ氏に続き、ＡＨ氏もＳＴ君もＹＭ君もどんどん出張して来てください。

SMTの諸君、最近カレーの味を忘れたのではナカローカ？

お騒がせ致しました。では又。

追申 :「印度哲学」“NO PROBLEM”

インド人と話していて、「NO PROBLEM」（問題なし）と言われ、とんでもない、問題大ありではないか！　怪しからん！と頭に来たことのあるあなたへ。

怒るとお互い気まずくなり、話もうまく進みませんね。

そこで、「印度哲学」“NO PROBLEM”の出番です。

インド人のよく言う“NO PROBLEM”は、確かに「問題なし」なんですが、我が「印度哲学」では、【あくまでそう言ったインド人にとっては問題が無いということであって、言われたこちら側に問題が無いということを意味していない】と解釈されるのであり、これを理解していれば言われても頭に来ることも無くなり、平常心で話を進めることができるという訳です。

次回インド人から“NO PROBLEM”と言われても、あなたはこの「秘策」を思い出して、交渉は“NO PROBUREM”!!?

世界最高の季節を迎えようとしている
天竺の地より。

《第15信 完》

今は昔、
天竺の都の西の方、「王侯の地」（ラジャースタン、RAJASTHAN）と称さるる乾きたるところありて、古来より猛きもののふ（ラージプート族、RAJPUT）の住まふとされし地なり。此の地、都に残りたる濃き回教文化の香りとは異なりて、印度教（ヒンズー教）を奉ずるラージプート族の王侯もののふの多くの物語今なほ生きるが如き気配ありと。霜月十三日いそいそしく都の空港に現はれし彼の男（をのこ）、四日の間うち続く間日（休日）に乗じて彼の地の名城、古城を訪（とぶら）ふ旅をもくろむと、なむ伝へたるとや。

1989年11月18日

日本のみなさま

ニューデリー在 大泉正城

第16信　印度ラジャースタンの旅の巻

皆様、今日和（こんにちわ）。

印度にも素晴らしい季節が再びめぐって来ました。

日中の最高気温も30℃を切るようになり、夜は12℃位まで下がります。（デリーの気温）

このところ新聞は総選挙一本ヤリで、11月22日、24日＆26日の3日間にわたって選挙が行われます。デリーは11月22日が投票日で、この日は休日となり、当事務所もお休み。官公庁も休みになります。カルカッタは24日との事。

何故3日間も投票をやるのか？　答えは⇒インドは大国だからという事になります。一説によれば、警官の数が不足しているとの事。つまり、投票箱を見張る警官の数が足りぬので、3日間にわたって、（全国を区切って）部分的に投票せねばならぬ由。街中は、この頃街頭宣伝カー（選挙用の）が増え、たださえ騒音音痴のインド人がスピーカーをがなり立てて走り回っており、この調子では22日直前はどうなることかと今から思いやられます。

そこで、今回＆次回は騒音の街を離れて、インドでも他と異なる様相を示すラジャースタン地方の田舎の旅をご紹介しようと思います。

デリーの西方／南西方面は、ラジャースタンと呼ばれる乾燥した地方で、砂漠につながる地方ですが、ここは又ムガール朝などのムスリム勢力に対抗したヒンズーを信奉する戦士の土地、尚武の土地柄でもあり、今なおマハラジャ（王侯）とラージプート戦士の数々の物語が生きている土地です。

では、始まり始まりー。

映画と同じで、まずは……

予告編（Ⅰ）ラジャースタン

侵攻するムスリム（回教）の勢力に対抗し、果敢に戦ったラージプート戦士の土地。ヒンズー王侯の数々の城塞、名城。そして、落城にまつわるラージプート女性の火中への殉死とサフラン色の死装束に身を固めた戦士の最後の総攻撃の物語……。

チトールガルは中でも有名なラージプート族の拠点であり、平地にいきなり180mの高さでそそり立つテーブル・マウンテン（幅最大800m、長さ4km）上の難攻不落の要塞。築城8世紀。

城塞周囲5.5㎞。デリーの南西約570㎞のウダイプール（UDAIPUR）から東へ120㎞。
←チトールガル（CHITTORGARH）

←パドミニ（PADMINI）宮殿。
（チトールガルの一画）

その美しさ故に、攻撃軍のスルタンより一目でもと求められ、水面に顔を写すことのみで応じ、夫の命と引き替えにその手を要求されたパドミニ王妃。今は白い宮殿と廃墟のみ……。

別途執筆中の「デリー、七つの都の物語」を仕上げる為、休日を利用してデリーのムスリム建築・文化にドップリと漬かっていたＯ氏は、その対抗馬であるヒンズー建築（＆物語）に出会い、ビックリしてたちまちラジャースタンのとりこになったようです。物語とはいえ女性に弱いＯ氏です。

まだまだ……予告編（Ⅱ）ラジャースタン

ラジャースタンの衣装は強烈な赤。女性はまず100％近くが真紅の衣装。物を運ぶ時はヒョイと頭の上に乗せて……。

ラジャースタンの田舎は風情があって美しい。

物語のみでなく現実の女性にも弱そうなO氏。
←クンバルガル（KUMBHAL GARH）

クンバルガルはラジャースタンの丘陵地帯に延々36㎞の城壁を有する一大長城。築城15世紀。

侵入するムスリム軍に抵抗したラージプート族の最後の拠点で、落城の記録無しを誇る。（ウダイプールから北へ84㎞）観光地として紹介されるのが遅れ、往時の姿がそのまま残る別天地。昨年辺りよりインド政府もやっとその価値に気付き、ＰＲに乗り出した観光処女地。城内にはヒンズー教、ジャイナ教の寺院の廃墟が360箇所以上もある。数年後にはラジャースタンの名所となること間違いなし。
※ガル（GARH）とは、城塞の事。

Nov/13（Mon）12：45

さて、このところ精神的に少々疲労の色の濃かった某商社のO氏、心機一転とばかり例によってバタバタと旅行のアレンジをすると、周りから何を言われようと、又シンガポール行きを諦めて恨めしそうなＫＣ君が「行くんですかー？」という声を出したにもかかわらず、イソイソとデリー空港に現れました。

時は秋、印度はあのクソ暑さから解放され、素晴らしい季節を迎え、祭りと休日のシーズン。

自宅から空港までの道路は、休日の為家族連れの自家用車族も多く、O氏は日頃のウサも忘れルンルン気分です。街は、土曜日を入れると14日（火）まで4連休となるため、常の日曜日よりもっと明るく輝いているように見えます。「街が輝く？」――彼奴(きゃつ)はとうとう頭がおかしくなったか？　と最近印度に出張して来た人は思うかも知れないのですが、解放感に浸っているO氏には、デリーの街並みが光って見えました。

デリー空港

着きました。出張に行く時はギリギリの40分前頃着くのですが、何と遊びに行くとなると1時間以上も前に着いてしまいました。いますね～、こういう人。

普段は8時過ぎでも布団の中でグズグズしているくせに、ゴルフとなると4時起きでも気にならない……。アッ！　部長でしたか？　マズイ。

例によってと……入口の近くにある飛行機の発着案内板（INFORMATION BOARD）にて、自分の乗る飛行機の予定時間の変更の有無等を調べる。

何⁉「キャンセル？」

ウン、これは別の飛行機。良かったー。ホッと一息。「明日に延期？」これでもない。あれー？　無いなー。便(たよ)りの無いのは良い知らせ？　まあカウンターに行ってみよう。

「アノネー、私の乗るIC479ちゅう飛行機、何処でチェックインするの？」

ウン？　ジロリー。（目つき良くないなー彼奴）

「向こうのホールの案内所（INFORMATION）で聞いてみてチョーダイ」

これはまずい雰囲気だ、これまでの経験が告げるところからすると……。折角のデリー脱出も出だしでアウトかなー？

（カウンターにて）

「IC479……？」

おッ、ワタシの乗る飛行機と同じ便名だ！　と耳を澄ますと……。

「4 HOURS DELAY……（出発4時間遅延）」

ヤー来たな!?　今回も何かあるぞ、この旅も。ワクワクしてきました、O氏は。

一方、カウンターに問い合わせていたヨーロッパ系外人のオジサン（O氏は、念の為断っておくと、オニイサン）、

「どういう事になっているのだ？　俺は今日一日中空港にいることになる。ブゥー、ブゥー」

分かりますねー、そう言いたくなるのも。まー、ここは印度。㋐わてない。しかし、㋐きらめない。

そこで、ベテランO氏の行動を見ると……。

①先ず、案内板モニター（INFORMATION）を見る

例によって、ヤハリ、何も出ていない……。

（㋐んしんしてはイケナイのだが）

別のカウンターで聞く。

「17：20発に変更」（つまり4時間遅れ。勘定が合う）

やはり、そうかー。（㋐てにせず、2～3カ所で確かめた上で情報の真偽を確認する）

②チョコレートを買って、リンゴジュースを飲む

4時間の遅延（取り敢えずデスヨ！　取り敢えず4時間の遅延。飛ぶ／飛ばぬはその時にならぬと？？？）に備えて水分を蓄え、非常食を買っておく。本当はサバイバルグッズとして、ウィスキー、つまみ、ビスケット、水を用意して持って歩いた方が良いが、今日はO氏一人旅なので、その辺で手に入るもので生き残ること可能と判断して、水以外は持参していない。

③ターバン（シーク教徒）のオジサンの２人連れを見る

そう言えば今日はターバン族が少ないなー？　と思う。つまり、何にでも興味を示し、退屈を紛らわす作業に入る。
そーかー、今日はシーク教の開祖の生誕日でターバン族はあまり旅行をしない日だ……と、これだけでは又タイクツの虫が来るので、あの２人のターバンはどういう関係かと想像を巡らそうとしたら、別の事態に気が付き、その方の想像に切り替える。
別の事態とは……。
ターバン２人連れの片一方がズボンの上からそれと覚しきあたりをつかんでグニャ、グニャ、ボリ、ボリ。うーん彼奴もそうかー………………。
一体何を想像してるのか？　だって？　コレハ失礼しました。よくやっているんですよネ、インド人の男、ボリ、ボリと……。痒いんでしょうね、あの辺りが。最初の内は事情が分からなかったものの、やはり風呂に入らないからだろーなーというのが最近の結論デス。お気をつけ遊ばせ、印度より届く書類。触れたかも知れず……あッ！　東京の○○課、××課の人達……。大丈夫、大丈夫。あの人達免疫が有るから。（アレに免疫あったかな～？）
ではO氏は大丈夫か？　おッ！　逆襲してきましたネ！

④「オール読物」を出す

これは出張者が置いて行ったもので、読みだすと徹夜してしまう危険性があるので、一度はゴミ箱に捨てたが、思い直して又拾い旅行に持って来たもの。
印度旅行で待ち時間をつぶす為に軽い読み物は必需品。ともかく待ち時間が多いのです。「待」という海の中に意味ある行動の島々が浮いているようなものです。いや？　一寸待て、今回の旅行はまだ３日間もある。この３日間の為に「オール読物」は取って置く必要がある貴重品だ、と仕舞い込む。

⑤そうだ、印度通信の原稿を書こう

という訳で書いてきたが……。まだ14：30。17：20まで3時間もあるなー。

⑥虫除け

さて、飛行場、印度の飛行場（の待合室）は人間ばかりでなく色々な動物が入ってきます。
よく見かけるのが鳥。天井裏に巣を作っており、エアコンの空気抜きから出入りしてピイ、ピイ、チイ、チイ鳴いています。まあ、この方は害にならないのですが、困るのが「虫」偏に「文」と書くヤツ。この対策は非常に重要。つまり、飛行場とは待たされるところ、待っていると寄ってくる蚊。
飛行場には色々な地方から色々な人が来て皆一緒に待っている。蚊の奴は「インド料理」を喰い飽きているものだからたまには「日本料理」をと近寄ってくる。蚊を媒介してどんな病気がやってくるか分からないという危険な場所でもある訳です。そこでインド旅行必携の虫除けを出して（荷物の中には蚊取り線香も入っているが、蚊取り線香を取り出すのは地方の飛行場、例えば鉄道技術研究所のあるラクナウでして、人目の多いデリーは又別の対策）、スプレーならシュー、シューとやる訳。それを見たインド人達が目を丸くしてこちらを見ること請け合いです。
このようにして「日本食堂」はクローズし、蚊様方には「ヨーロッパ料理」をお勧めしている次第です。

虫と言えば……この旅行より戻ったらゴキブリ作戦を再び発動し、ＫＣ君のところよりネズミ捕り紙を貰い……そうかー、ネズミは「虫」ではなかったなー。

……まだ15時だ。今日は時間が長いなー。長いと言えば最近のO氏の鼻毛が長くなったこと……。

こうして毛想、あッ間違い、妄想は延々と続くのです。
（いや、続かせるのデス）

17：00　まだデリー空港

17：20発の予定故そろそろセキュリティーチェックのアナウンスが無いとおかしい。一体何をやっているのだろうか？搭乗券を渡したということは……つまり……飛ぶ「気」はあるということだ……。

IC479はIC469と統合されたと言うが、IC469は元来何処行きだ？　勝手にくっつけてしまったが、本当に目的地「ウダイプール」に行くのかネー？

まッ着いてみなければ分からぬ印度の旅。と言っても飛ばぬことには着くこともできぬし……これで家に帰ることになったら、一体この連休どうして過ごそうか？　ミジメー。

などとアレコレ考える時間があった後で、セキュリティーチェックが始まり、O氏は「無事に」（まだ飛んでいないのであるが）飛行機に乗ることができました。

セキュリティーチェックでは、バッテリー（乾電池）をカメラから外すのを忘れたことを思い出した時には、「シマッタ！電池を取られると写真を撮れない！」と思ったものの、これが無事通過して事なきを得たのであるが……。チェックのオジサンはアルミ箔に包んだオニギリに目が行き、バッテリーが助かったのかも知れない。オニギリ様々だ。印度人もオニギリ好きかなー？

そして飛行機のドアも閉まったし、それでは出発進行！ デリー空港に着いてから6時間近く過ぎた。

出発の機内アナウンス……
「ペチャ、クチャ、ナグプール（NAGPUR）……」
そうかやはり、飛行機便の統合（乗客の数が少ない時などに、2つの便を纏めて1つの便にしてしまうこと）で、先ずナグプールから行くらしいぞ。待て、待て、「㋐わてるな」の㋐だ。着いたら飛行場を確かめてから降りよう。あの時の例（⇒インド通信【第1信】参照）があるぞ。「㋐んしんするな」の㋐だ。

機は右側の赤（というより、朱肉の朱色だ）の地平線を見ながら飛ぶ。夕焼けがこんなに地平線に沿って、何処までも細長いのは機上ならではの景色だ。
雲海、暗闇に溶け込む前の、オドロ、オドロした暗い雲の海……。この海をキリッと引き締めている地平線。黒から一挙に濃い朱色だ。朱色は次第に薄く黄色から白へ変化し、白は直ぐ青になり、そして藍色から宇宙の闇へと次第に黒の中に藍は消えていく……。
機上ならではの夕焼けだ。もう10分も朱の帯がある。この朱と藍の色は洋画ではなく日本画の世界だ……。

19：30 着いたゾー！（ウダイプールのホテル）
シヴニヴァス パレス（SHIVNIWAS PALACE）――これが本日のお宿。連れ込み宿風の名前だが……いや、正に宮殿そのもの。部屋はスイートルーム（SUITE ROOM）Rs1,800.―。デリーのホテルと比較してはいけないが、王侯・貴族の雰囲気を味わってRs1,800は安い。（￥15,000.―位）ウン！ 明日もこの部屋にしよう……。
（予約の関係で、到着第1日目がRs1,800.―のSUITE ROOM。

２日目はグンとお安くRs600.-という事になっていた。根が庶民の出であるO氏、マハラジャの宮殿の雰囲気が気に入って、即ゴージャスに行こうと決めたのですが……）

写真では分かり難いかも知れませんが、皆様に雰囲気の一端なりとも味わって頂く為モデルのO氏にも登場願って写したのが次なる写真。

専用の日光浴／中庭付。専用デス！（分かったヨ！）

ホテルの表の方は、
それ！　この通り
宮殿デスゾ！

ついでに先回りして、翌日のお部屋を

それが残念なことに、翌日（Nov/14）は、この部屋の予約は埋まっているとのことで、アワレO氏は別の部屋（予約通りだから文句も言えないが）に追い出されてしまいました。

別の部屋とは……？　それがですね～、どうも門番か使用人の部屋を改造したのではないかと思われる場所と造りでして……。

13日の夜は間違いなく宮殿の客間らしいところを改造したような場所と造りでした。14日は、宮殿の本殿（つまり母屋）には入れず、本殿の扉の外。入口の両脇の長屋の2階で、古くは、入口に向かってつづら折りの道を攻め上って来る敵に対して矢でも射る門衛の詰め所のようなところ。又は、門の脇だから馬小屋だったかも？　でも、馬が2階に住む訳がないし……?? 馬丁の部屋か？……とすると、チャタレー夫人の現れる場所か……？

妄想！　妄想！　ピシャ！　あれは森番？　ソーダッタカナー？　ピシャ！（蚊を打った音）現実に返る。ここはインドだ。印度ですよ！

それで、14日の部屋の写真は？……無し！

時間を13日に戻して……

部屋に着いたら先ずやることは……。ソーデスネー、先ずバスタブに湯を溜める。そしてドブンと首まで浸かる。これですね～。先ずは風呂。インドの日本人住民はホテルに着くなり湯をバスタブに確保して（湯が間もなく水になること多し）、そして2～3回風呂に入り、バスタブの中でタオルを使いゴシゴシ……。

フーッ！　久し振りの（首まで浸かれる）風呂じゃー。

第二幕　お風呂の後のマハラジャは

ビール。何と！「ブラックラベル（BLACK LABEL）」（日本人向きで一番美味しいと言われている印度のビール）があったと感心し、取り寄せたルーム・サービスのインド料理をバルコニー（あのインド式の空中に飛び出している奴）に運び……。

マハラジャは本当は自分で運んではいけないのであるが、庶民はセルフサービスが気楽ゆえ自分で運び（本音）……遠くの街の灯、湖（ピチョーラー湖）を眺め、庶民の竈（かまど）の煙を心配して？　ビールを飲み、料理をパクツキ、一人で悦に入っていたのでした。

第三幕　マハラジャの夢見は？

翌日の目的地を想像しながらムニャムニャ夢の中。

マハラジャのお姫様でも出て来るかなー？　Ｏ氏の一人旅には必ず妙齢の女性が登場するのデスガネ～。（⇒インド通信【第１信】【第５信】などなど参照）

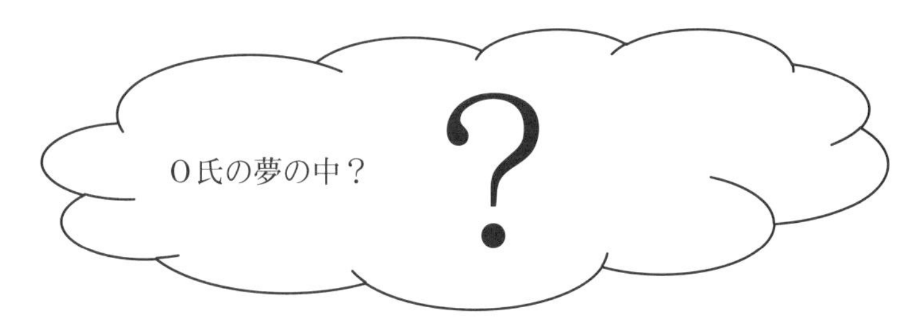

それでは又次回をお楽しみに～。
（年内に完結スルカナ～？）

《第16信 完》

今は昔、
庚午(かのえうま)の年（平成二年、一九九〇年）正月、この年天竺各地ことのほか寒く、都は十年振りの寒波来たりて朝方より昼方にかけては日並（連日）深き霧現れ出でて空の往来乱れはなはだしく、彼の男(をのこ)もまた客人の送り迎へに難儀す。かかる中、彼の男、正月間日（休日）を機に都より北へ四百余里の聖地ハリドワール（HARDWAR）の奥、仙人住まふというリシケシュ（RISHIKESH）の地を訪れしことありしが、あさはかにも彼の地の仙人あがまふ信心足りぬ故にか、都へ戻る夜陰の道筋にて深き霧に巻かれ中々に難渋せしことありと、なむ伝へたるとや。

1990年1月8日

日本のみなさま

ニューデリー在 大泉正城

第17信 印度にお正月はあるかの巻

―リシケシュ（RISHIKESH）訪問記―

皆様　明けましておめでとうございます。
今年も寄せ書きをどうも有難うございました。

さて今回は、本当は「続・印度ラジャースタンの旅」をお届けする予定だったのですが、お正月が来てしまったのでラジャースタンの旅の方は一寸お休みをして、印度のお正月風景をお送りしたいと思います。
そもそも印度にお正月はあるのか？　それが無いのです。
ン??

これでは話にならないので、日本の年末年始頃の印度はどんな具合なのか？
今日はこういうテーマに取り組んでみましょう。

実は、印度にもお正月はあるのです。
（どうも最近O氏の言う事は一定していない？
印度ボケではないか？）
ただ、時期が少々違うのです。
印度のお正月は、あのディワリ（DIWALI）やドゥシャラ（DUSSEHRA）と呼ばれるお祭りの集中している10月又は11月がその時期に当たります。印度暦の為毎年時期がずれて、昨年は11月、今年は10月です。この頃が丁度印度のお正月で、街には屋台店、夜店等々が並びいかにもお正月の雰囲気があります。爆竹もバンバン鳴ります。

ところが、1月1日……。この日街に出てみても何もありません。全く普段と同じで多少の変化を期待している方は拍子抜け、ということになります。
本当なんです。何も無いのです。あなたの財布の中身と同じです。それどころか官庁から一般企業まで皆オープンして普通通りやっています。全く味気無い正月風景です。
ではオープンしているからには皆せっせと仕事をしているかと言うと……これが、いない……。そう、いないのデス、多くの人が来ていないのです。本当の意味で開店休業状態です。特に官庁、公営企業は。
どうしたのかと言うと、持ち越しのできない休暇を消化しようとして、年末になると休む人が多く、結局年初も休暇を取る為、オフィスはガランとしているという訳です。貧しい印度はもっと働かなくてはいけないのではないか……と思うのは日本人。新聞も普通通りで、日本のように読むところの無い無意味な色刷りのページがゴマンということはありません。

さて、街に出てもカエルのお腹のようにツルリと何もないので、デリーにいる日本人は（特別休暇で海外に行く人を除き）、ゴルフ三昧の生活か、インド国内旅行か、ということになります。

彼の某商社のO氏はどうしていたか？　やはり彼も人の子、カエルのお腹のようなデリーを後に、何と！　車で仙人の住むと言われている聖地リシケシュ（RISHIKESH／デリーの北230㎞）という場所へ出掛けました。

デリーを北へ200㎞も行くとヒマラヤの山麓に来ます。平原からいよいよ山にかかる境目のところに、ガンジス河に面したヒンズー教の聖地ハリドワール（ハルドワ／HARDWAR／例のB重電機会社のハリドワール工場のあるところ）がありますが、そのガンジス河を更に25㎞ばかり遡ったところにリシケシュがあります。お正月こそ聖地巡礼の旅にふさわしい……深山幽谷の中のお寺で仙人と会って……酒と女を断って（あっ？失礼、貴方は女性……では男を断って、あっ！　あっ！　もっと失礼？）思索にふける……。これこそ正月だ！

でも印度の正月とどういう関係にあるのか？　今回のテーマと無関係ではないか。

まあ正月早々固い事は抜きにして……。要は、印度在住の日本人のお正月でして～。

聖地リシケシュ訪問記（第一幕）

1月3日。

朝一寸心配しながらリシケシュのホテルの部屋のカーテン

をサッと開けてみた。オーッ、久し振りの抜けるような青い空。山裾には炊煙の薄い煙が流れている。
平原で全く起伏の無いデリーに比し山があるだけでも感激だが、更に青い空が素晴らしい。

デリーはこのところ青い空に恵まれない。いや空は晴れているに違いないのだが、毎日霧が濃く、青空が出るのは午後から夕方にかけてのみという異常気象なのである。元々冬のデリー（印度にも冬はあるのデスゾヨ）は霧が発生し易い。霧の為飛行機の遅延・欠航は普通で時刻表は無いに等しい。つまり、冬の冷たい空気がデリーを押さえ込んで動かないので（夏は暑い為上昇気流がある）、ジャムナ河の川霧、自動車の排気ガス、暖を取る焚火の煙、ホコリ、そして……そうです、あの牛の糞を燃料とした煮炊きの煙、等々がジーとデリー上空に滞ってしまうのです。そこへ12月の雨が降るともうイケマセン。霧／スモッグの大発生です。
デリーでは12月にも少ない雨が降ります。収穫にとって大切な雨のようです。今年も降りました。それも２日連続ザーザーと景気よく降りました。そしたら出ました、霧が。予定通りに。人工的な飛行機のスケジュールはメタメタですが、自然のスケジュールは正に予定通りです。こういうところが印度デスネー。

ところで、この霧の発生を一番心配しているのは誰でしょうか？「飛行機会社？」　ブ〜。
（彼らは心配などしていない。むしろ遅延が目立たなくなり、シメタ！　と思っているに違いない。）
「ゴルフ場？」　ブ〜、ポン。（半分当たり）
「ゴルフ場へ行こうとしている日本人？」
（ウ〜ン、かなり近い。）

正解は単身駐在員。

そうなんデス。この時期丁度年末の為、単身で来ている駐在員は一時帰国しようとソワソワしている時期なのです。

「ナロー！　霧なぞ糞食らえ！　自分が操縦してでも飛ばすぞー！」と、4時間遅れで何とかデリー脱出に成功したＯＧ氏。

直前にフラフラ1日遅れで飛んで来たJALが昼間のデリー発となるや否や、素早くこれに変更してデリーを飛び立ったＫＣ君。

良かったデスネー、みんな。何とかお正月の日本に間に合ったようです。

さて、話を元に戻して、霧の発生。

今年のデリーはこの霧が濃く、午前中全く陽が出ないという状態が10日間も続いています。そこで当然「〇〇年振りの」という印度的表現が新聞に出ることが期待されますが、ヤハリ出ました。10年振りの寒さなんだそうです。夏の「熱波」に代わって、「冬の寒波で死者合計70人」という記事が出ています。

ところで、彼のＯ氏、この霧のロンドンならぬデリーで何をしているのか？　そうなんです。何もすることが無かったのデス。一時帰国も今年は断念し、印度国内旅行もチャンスを逃し、デリーで沈没か？……と思われたのですが、そこはＯ氏、何とかデリーを脱出し、聖仙の住むリシケシュという所へやって来たのです。車で延々5時間。デリーから北へ、ヒマラヤの山麓に近い聖地です。そして、正月に「聖地巡礼」という殊勝な心掛けを嘉（よみ）した聖仙の祝福か、青空に巡り合ったという次第です。

前置きが長かったのですが、正月にデリーにいても仕方ない、デリーではないところへ行ってみようと田舎を目指して１月２日に車でやって来たところがリシケシュ、というのが実情。印度は人の少ないところが素晴らしい。田舎は人が少ない。田舎へ行こう、ということになった次第です。

田舎には……当然……牛が多い。そこで、長年の懸案事項であった（先のインド通信【第９信】では、一面の洪水に気を取られてゆっくり見ている暇が無かったという人が多いという？）牛様の糞(クソ)塚を皆様に、今回ここでゆっくりと心行く迄、お見せすることが可能となりました！

お待たせー！　次の写真がかの有名な糞塚です。

牛の糞をピザパイ状に乾燥させ、積み上げてこのような塚にして放置します。時を経て、この糞塚のクソの乾燥は更に進み、燃料に適するようになる訳です。

リシケシュへの５時間の車の旅。Ｏ氏はこうして糞塚を“ゆっくりと心行く迄”道路の左右に眺めつつ、その昔、まだデリーに駐在するなどとは夢にも思っていなかった頃によく通ったデリー＝ハリドワール（ハルドワ）街道の景色を懐かしく思い出しながら、途中の運河脇のインド式ドライブインで、あの懐かしい油ギトギトのオムレツを食べ、獣(けもの)臭いミルク入りのチャイを飲み、大部分は車の中で居眠りしながら、デリーから北へ230km、ヒマラヤの麓の聖地リシケシュに着いたという次第。

そして、翌1月3日の朝起きてみて、朝から青空を発見し、デリーを出て来て良かったなーと思っているところです。

幕間休憩：デリー1990年の正月風景

世紀末90年代のデリーの正月は寒波と霧、そして何と冬の停電という異常事態（まあ、印度では有り得る事態かなーとも思う）で始まりました。

苦しむ印度の現実を象徴するような幕開けです。（と思うのは日本人で、印度人は楽天的に暮らしているのかも知れない）

この10年で最も寒い夜 ニューデリー、12月30日 昨夜気温が3.6℃に急落し デリーっ子はここ10年で 最も寒い夜を経験した

〈先ず寒波の襲来〉

デリーでは10年振りの寒さ。

年末の12月29日夜、気温が3.6℃に急落。

寒波の犠牲者 122人にのぼる ニューデリー、1月3日

〈寒ければ寒いで死者も増加〉

貧しく限界で生活している人達は、栄養も行き渡っておらず、皮下脂肪も無く、10年来の寒波の襲来と共に凍死。1月3日現在で122人の犠牲者。熱波で死に、寒波で死に……。

1月3日、デリーの北のジャンムーで大雪。4～5日すると、この寒さが平原のデリーを襲う。デリーの気候は、北の山の状態（ジャンムー）から4～5日後に、追随して変化する。デリー独自の気候というものは無いとは識者の言。

正に1月8日の今日、デリーは再び寒さに襲われている。明日の新聞には何と書いてあるだろうか……。

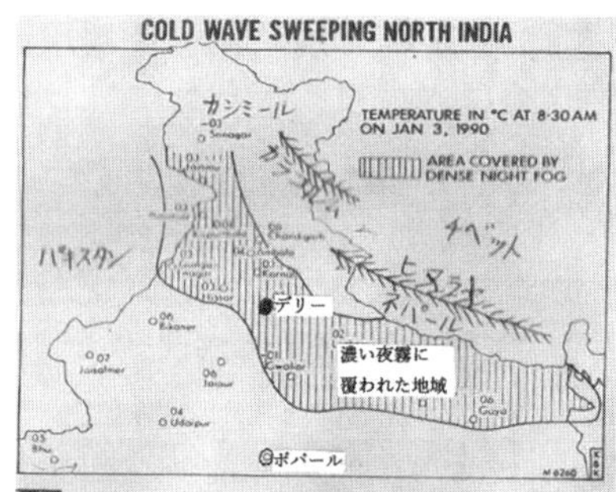

〈更に、寒いと霧が発生〉

北の山麓から平原に至る境目にガンジス河が流れており、そのガンジス河に沿った地帯で濃霧が発生。

山より冷たい空気が降りて来て平地の湿気に触れて濃霧が発生するメカニズムだろうか？

デリーの冬の霧の発生は年中行事であるが、今シーズンは特に激しく、12月に雨が降って空気中に湿気が増加すると共に夜間に濃霧が発生し、午前中全く陽が出ない日が連続。午後やっと陽が出るが、日中の温度が上昇せず、再び夜間に気温が下がるという悪循環。

〈霧の為空の便を中心に交通混乱〉

特に、飛行機の便の方はデリー空港が昼過ぎまで閉鎖という事態が連日で、遅延、キャンセル続出。国際便も１～２日来ないという例も発生。メチャ・メチャを通り越し、ホテルも混乱。一旦チェックアウトした人が飛行機のキャンセルで又ホテルに舞い戻る、予約した人が来ないetc. etc.でコンピューターの宿泊者名簿などの更新が間に合わず、ホテルに何回電話しても知らない人が電話に出る、連絡を取ろうとしている本人行方不明……。

〈そこへ追討ち、何と冬場の停電〉

１月２日、首都で
過去最大の電力カット

夏場ならこれ迄もよくあったことだが、冬も……。寒波の襲来で電力がピーク需要に追いつかず。加えて新政権の農業優先で電力を農村へ優先的に……。

そこでO氏は久し振りに厚着をして事務所へ行くこととなりました。スキーの為に日本から持って来たパッチを穿き、背広の上にジャンパーを着て停電の中でテレックスを読んだという、正月休み明けのデリー事務所の風景。

新政権の政見の方は今一つはっきりしないものの、未来に生きる印度のこと、計画の元締めである国家計画委員会の発言はアレコレと正月から新聞の一面に。計画を立てるだけならお金は掛かりませんからネ。禁酒・禁煙宣言のようなものか？　いかにも正月らしい？

聖地リシケシュ訪問記（第二幕）

さて話は、霧と寒波と停電の正月のデリーを後にし、仙人の住むリシケシュ（RISHIKESH）に修行に来たO氏の身の上に戻ります。

青空を見てすっかり気を良くしたO氏は、今日1日でリシケシュ中の名刹を全て回るつもりでホテルを飛び出しました。ホテルといえば自称ファイブ・スターのホテルの代金は、デリーのホテルの1/4というお値段。新築なので家具調度はまあまあだが、シャワーのみのバスタブ無し。従業員は山だしのお兄さん達で動作は速くなさそうだが……いや止めておこう、これだけで物語が一つ出来る。

つまり東京からの出張者諸兄を見習って、ラーメン鍋と湯沸かしで昨晩・今朝の食事を済ませ（ホテル側が不思議に思っただろう？　あの日本人は食事もしない？　と。いや彼等は食事をしない仙人に慣れており、O氏の事を日本の仙人と思ったに違いない……)、先ずは仙人の住みそうな山に向かったのであります。

平原の中のデリーにいると、やはり山が懐かしく親近感を覚えます。いいぞ、いいぞ、どんどん山に登れ。山の上から景色を眺めて見よう。名刹もあるに違いない。
「この山を登って行くと何処に出るか？」
「山の上に出る」と運転手君。
（それは当たり前だ。もう少し別の事を言って欲しいね、ご主人様としては）
「そこは眺めが良いか？」
「行ったことが無いから知らない」
「エーッ？　行ったこと無いのか？」
（運転手としての自尊心を傷つけられたのか、返事が返って来ない）
「この道路をずっと行くと中国との国境に出る」
（そりゃまあインドの隣は中国だから、いつかは中国に着くだろう）
「この先に小さな町があり、そこにマハラジャの城がある」
「それそれ！　是非そこに行こう！　お城だ。眺めも良さそうだ」

という訳で平原から山道に入り、どんどん山の中へ入る事40分位。

有りました！　山の中の集落。一寸見ると熱海の別荘地。

道に牛の糞が落ちていなければ……。

そして、この集落を抜け、山の反対側に回ったところで脇のジャリ道に入り、しばらく登ったところに城が突然目に入ってきました。山の峰の上に建てられた別荘風の建築です。

集落の名はナレンドラ・ナガール（NARENDORA NAGAR）。建物の名称はラージ・マハール（RAJ MAHAL）、つまり大邸宅、この地域の王様の持物とか。

現在王様はデリー暮らしとて、留守なのを良い事に館の裏庭に入り込んだところ、庭には20m位のプールもあり（飛び込み台は本格的なもの）、テニスコートも6面位は取れそうな広大なものでした。

そして印度である証拠には、庭に牛様が草を食べておいでになりました。この牛何処から来たのだろうか？　餌は？

（放っておけ！）

樹木もまたデリーのマメ科の折れそうなゴツゴツと枝分かれしている頼り無さそうなものとは違います。そして、庭の端（つまりマンションの乗っている台地の端）から目を遠くにやると……。素晴らしい下界の景色が樹の間から飛び込んで来ます。これが印度だろうか？　と思わず見とれてしまいました。平地の印度のイメージではなかなか

お目にかかれない高所からの景色でした。

聖地リシケシュ訪問記（第三幕）

さて山の上で周囲と城と下界の景色を見て、カエルのお腹のようなデリー近辺の変化の無い地形と比較し、すっかりご満悦のO氏は肝心のお寺詣りを放って、昼過ぎまでそこらをウロウロしていました。

更に近くの小村のマーケットで両手に２杯も皮付きピーナッツをRs4（30円位）で買い、何もすることが無くブラブラして村の人のマネをして紅茶をRs1（約８円）で飲み、変な奴が来たと村の人に話題を提供しました。

そこでO氏は大変なことを発見しました。皮付きピーナッツです。というのは、印度のピーナッツは人口（いや、“豆口”か？）がやはり多いのです。大部分３粒入っているのです。そして１箇、１箇の粒がこれまた印度らしく栄養失調というか、日本の豆の1/4位の体積です。でも、食べ始めるとやみつきになるのは印度のピーナッツも同じでした。

車の中でやみつきになったピーナッツを食べ食べ本来の目的地である河岸のリシケシュの街まで山を下り、有名な吊り橋のところに来ました。

下を流れる河は水量も豊かに濃緑色、対岸には多くの寺院が

並び……そうです、ここはやはり写真を撮る場所だとファインダーを覗き、パシャとシャッターを押したら……ありゃ？　我らのご先祖様が……。

……とここら辺り迄はまあまあだったのですが……。聖仙の住むというリシケシュの町？

両岸に迫る山、濃緑の流れ、でも……何となく全体のイメージが違うのを感じます。建物が名刹らしくないのです。

周りの景色は、そう山峡の温泉街……あッ！　水上温泉のイメージ。これはウマクナイゾ。予感が告げます。

橋を渡ると……ヤハリ……。

ありました「江の島の土産物品の出店（でみせ）」です。ああ～、名刹はいずこ？　名刹は？

それでも希望を繋ぎ、コンクリート建て（石造り？）の１軒（正に“軒”）のお寺に入ってみました。

何処かで見たイメージだなー、何処だっけ？　周囲の山峡の景色は素晴らしいのに残念だなー。

あッ！　そうか！

どうだ！　これは！

そうです。あのイメージなんです。シンガポール、香港の「萬金丹」です。極彩色のペンキを塗った像。タイガーバーム・ガーデンのイメージでした。

残念ながら……期待外れ。

どうしてこういう事になるのだろうか？

宗教が生きていて現世ご利益なのだろうか？　それともこの場所は「金竜山・浅草寺」であり、銀閣寺はまた別にあるのだろうか？折角デリーからやって来て……清流はまだしも、萬金丹はイケマセン。

ペケ、ペケ、だ～、と色々文句をつけたのが……実は後で問題となりました。やはり神様の悪口は言うものではありません。帰り道、神様の罰が当たりました。思いがけない事と遭遇したのですが、それは又後で。しばらくは色々な萬金丹を見てください。

そして、次の有様も……これも又同じくリシケシュです。

そう、遠景は印度には「無い」なかなか素晴らしいものです。建物は寺院群。（印度は遠景にあり――悟り）

聖地リシケシュ訪問記（幕の降りた後）

それにしても、期待したリシケシュ（聖仙の住む地への巡礼の旅）はダメだったが、期待しなかったリシケシュ（山の上とマンション）は良かった……。トータルで可とすべきか……。

こうして……デリー迄の道を半分ほど（デリー迄あと100㎞）帰って来たところで、夕暮れとなって来ました。

そしたら運転手が言うんです。

「旦那、出ますぜ、今夜は」

ウン？　何が？　お化けか？　お化けでも女のお化けがいいなあー……。

「ほら、出ました、やはり」

何だ？　脅かすな。

「霧です。旦那。出たでしょう？」

フーン、霧か？　何だか面白くなって来たぞ。やはり出たか、これこそ印度の旅だ……。でも、真夜中は寒いか？　この車はフォッグ・ランプ無かったしな〜。

聖仙を馬鹿にした報いかな？　お賽銭Rs2は少なかったかなー、Rs5（約40円）とすべきだったかなー？

出て来ました……デリー迄あと半分の100㎞。夕暮の18：00。霧の発生です。

……いつの間にかノロノロ運転。ヘッドライトの先も見通しが利かず、前がボーッと白くなるだけ。周りは畑で何もない。夏ならケロケロ、ガーガーとカエルが鳴いているような田舎で真っ暗。左へ道を外したら、道から畑へ転がり落ちる。右へ道を踏み外しても転がり落ちる。前の車のテールランプだけが頼り……。

お先にドウゾ。あれっ？　前に出ない。あの印度人が前に出ない⁇　後で良いの？　フーン、これは大変な事態だ。では停まろう。あれっ？　後ろの車も停まって待っている。クソッ！　さっさと前に行け！　……。やはり動かない？

そおー⁈　仕方ない。こんなところで野宿という訳にも行かない。手探りで動くか。

トラックが来た。あのトラックの後ろについて走ろう。ディーゼル油の臭いがひどいが、それでも前に出て畑に落ちるよりまし。それ！　ついて行け。
「ところで、あの前を行くトラックはなぜ霧の中でも見えるのだろうか？」
「旦那、それはフォッグ・ランプが点いているからですよ。今度フォッグ・ランプを買って貰いましょうや」
「フーン？　フォッグ・ランプねー？……」
でも前方の光は黄色くないが……。
「良かったなー、これでデリーへ戻れる」
「旦那、安心するのはまだ早いですぜ」
「？？？」
「問題はトラックの行き先です。必ずしもデリーに行くとは限りません。トラックが別のところを目指していたら……」
折角安心したのに、嫌な事言ってくれるネー。黙ってついて行ってくれれば良いのに……。どのみちこっちは分からないのだから。

どこだろう、この辺りは？　左は畑。右も畑。真っ暗だ。これ以上霧が濃くなったら車を停めて野宿か……。寒いだろうなー？　萬金丹様を拝んでくれば良かった。前の車のナンバーの「D」。その前も「D」……。
「という事は……この道はデリー方面で間違いはない。そうやろ！　運転手君、ご主人様のこの判断ドウデスカネ？」
（デリーの車のナンバーは「D」から始まる）
「まあね」

だんだん速度が落ちて来て、停まりそう。頭はフロントガラスに近くなり、「白い闇」の中を何とか見通そうと努力するが五里霧中。煙のように霧が流れていく。「O氏霧に遭難」、出るか新聞に。神を恐れず罰が当たる。萬金丹の神罰か？

何だろう。トラックが道端にたくさん停まっている。運転手が外に出て屋台の食い物を……あー、大丈夫だ、街に入った。この街はと？……モ・ディ・ナ・ガ・ー・ル?? MODINAGARか、この町は来る時通ったモディ財閥の町だ。やれやれ方向は正しい。町には街路灯があり、見通しが良くなった。つまり、街路灯さえあれば、気をつけて走る限り普通のスピードが出せる。霧も印度の貧困問題に帰着するか？

このモディナガールの町外れで、先導していたトラックが休憩の為か道端に停まる。折角の先導車であったが仕方がない。この車が前に出るか……。ところで、このトラックはどんなフォッグ・ランプを付けているのだろう？　と振り返って車の前を覗く。アレッ？　フォッグ・ランプなぞ付いていないぞ！やー物騒。よくぞ事故が無くて済んだ。それにしても、フォッグ・ランプ付きだと言ったのはどいつだ!!

よく言うわ、感心してしまう。

町外れ、さて困った。又霧の中。前に車が走っているらしい。明かりが見える。それッ、前の車に追いつけ！　この車は何だ？　バスか？

「このバスは何処行きだ？」

「デリー行の長距離バスです、旦那」

「このバスの後ろについて行け。バスは遅いが、道を間違えることは無い」

「Yes, Sir !」

おッ、運転手も分かってきたネ。あっ、バスが前の車を追い抜いた。まずい、車が間に入ってしまった。よし！　今度は左側から追い抜け（インドは英国式で、日本と同じく車は左側通行デスが……)、今日は何でもアリだ。そうだ！　イイゾ！　あのバスに追いつけ、見失うな！

よしっ、追いついた。それにしてもこのバスよく走る。ドンドコ走る。なるほどそうか？！　牛車、自転車、農作業用トラクターの走行時間帯（夕方）が終わったので、むしろこの時間帯の方がよく走れるのだ。

こうしてデリー行の長距離バスの後ろについて、いくつかの町を通り過ぎ、デリーに戻って来ました。今年の正月は、霧のデリーから逃れようとして、とうとう霧に巻かれて終わったお正月でした。どうです？　デリーのお正月風景は？　デリーにお正月はありましたか？

O氏にはどうやらお正月はありました。念願のウンコ塚をたくさん写真に収め、山の上の大邸宅に押し入り、ご先祖様と一緒に河岸の向こうの温泉風萬金丹寺を眺め、そして霧と共にデリーに戻って来ました。

でも、本当は……。

カシミール紛争の激化で入境の難しくなった、カシミールのスキー場でお正月を過ごしたかったのデス。

では、又。

《第17信 完》

今は昔、
天竺の地、弥生半ばも過ぎぬれば、暑さ日に日に増しゆく中、夏に向かひて空調機のはらひ（掃除）など諸々の備へをはじむるが、芥虫（＝ゴキブリ）退治の陣触れもまたその時をむかへる。先の合戦（⇒インド通信【第９信】参照）よりほぼ二年半、庚午の年弥生（平成二年三月）のそれは、密かに厨（＝台所）に侵入せし芥虫軍の先鋒に遭遇せし彼の男により或る日にはかに発せられしと、なむ伝へたるとや。

1990年3月21日

日本のみなさま

ニューデリー在 大泉正城

第18信　またお会いしましたネの巻

冬の印度は色々やる事が多い（？）せいか一寸筆が遠のいていましたが、いよいよ夏が来て、また筆を持つ機会が増えそうです。つまり、冬は気候が良い為、外出する機会が増えて忙しくなるのですが、夏は暑くて、午後などは特に外出する気にならず比較的時間が出来るという訳です。（その代わり、昼寝に時間を取られるので、結局は同じデスが）

暑くなると……アヤツがやって来る……

暑くなってきました。毎日毎日目立って（目に見える筈がない？）暑くなっていきます。

体が追い付かず、調整が大変です。合服から一挙に半袖ワイシャツとなりました。最高気温は33℃を超えました。車の窓

から入る風はまだ涼しいのですが……。

3月17日より、寝る時に扇風機を回し始めています。エアコンのホコリ掃除そろそろやらねばならないし……。

ハロー！　再び現る！

さて、しばらくゴキブリ君を見かけなかったのであるが、また現れたのである、ゴキブリ共が……、皆様に是非又ご挨拶をしたいとて。

それも大量に現れたのである。

このところ、冬のせいもあり、ゴキブリ共を見かけなかったのであるが、一寸油断した途端に奴らは再び繁栄したのであった。春も来て（そして今は夏に入りつつある）、そろそろゴキブリ軍に攻撃を仕掛ける必要がある、と思っていたのであったが、宣戦布告は或る日突然にやって来た。

3月22日（月）

この日新事務所（目下、デリー事務所を移転すべく新事務所の内装工事中）関係の引継ぎを、去り行く前駐在員を囲んで夜までやった為（O氏はボランティアで臨時に総務をお手伝い中であった）、自宅に帰って来たのは夜9時過ぎ。食事はテーブルの上に置かせて、コックは帰してある。

さて、夕食を始めようと思って台所に行ったのであるが、ドアを開けたと同時に台所の床の上をサッサッサーと2匹ほど動いたものがあった。

ウヌ！　奴ら！　又いたな!?

そこで夕食を中断してキンチョールを取りに行き、台所に入り、ドアを閉めると同時にシューとキンチョールをゴキブリに浴びせたのである。前にも言った通り、ご当地のゴキブリはのんびりしており、あっと言う間にゴキブリはキンチョールを浴びてヨタヨタ……。かくして、夕食を中断してのゴキブリ戦役1990年第一戦、大型の奴らが15匹戦死。

更に家中のマンホールにバルサンを放り込んでの夜襲作戦。バルサン４個の戦果は不明なれど、相当の打撃を与えた筈。

そして更に、家の中の下水管の出口（入り口？）に油性殺虫剤を散布。たださえ危険なのに、インド製薬品故手についたら生命の危険が……？

ともかく触れぬ方がベターな奴を、ジャバ・ジャバと湯水のようにあちこちに撒いたのであった。

その夜は……彼の15匹を空き箱に入れて使用人への見せしめの為、廊下に置いておいたのでアル。

３月13日朝

やって来た使用人（コック）は、箱入りの15匹を見つけて顔をしかめ、驚きの表情……と見たのであるが、またご主人様の趣味が始まったと内心思っていたのカモ。

その後、しばらくすると女中がやって来て、以前ガムテープを貼って塞いだ床の穴（手洗いのシンクの下にある掃除の際に水を流す下水口）を指して、テープを取って薬を撒けと言う。

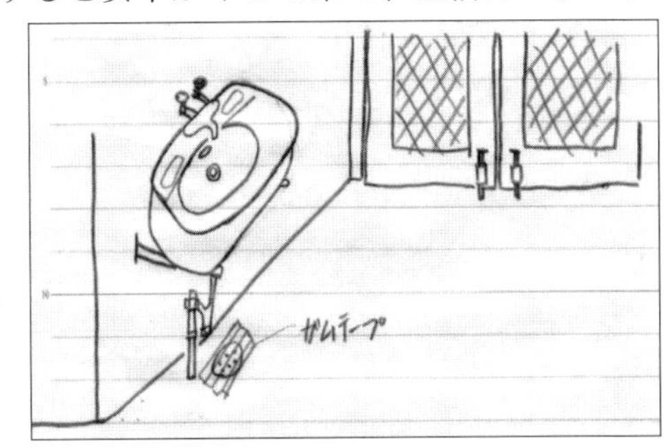

そんなことをしたら大変なことになる（ゴキブリがワンサと大量逃亡を図り、メチャクチャになる）と内心思ったものの、誘惑に勝てずテープを取った……。

イヤイヤやはり予想した通り、昨晩の散布で下水を伝って逃げ込んでいた奴らが、ソレッ！　とばかりクモの子を散らしたように四方八方に出ては散ろうとし、出ては散ろうとした。その数……数十匹。

そこは多大な経験を有するＯ氏、予め使用済みの割り箸を準備してあり、逃げようとするゴキブリ君の足をすくい又穴の中にお戻り頂き、薬をジャバ、ジャバ、傍に用意してある２本のキンチョールを２丁拳銃よろしく両手に持ち、シュー、シューと散布。それでも又穴の中からゾロ、ゾロと出て来る。

割り箸ですくう⇒穴に落ちる⇒薬をジャバ、ジャバ⇒キンチョールをシュー、シュー……。

この間、同盟軍の一部（女中）は、貼りついたテープを手で剥がすのに協力し、逃亡を図ったゴキブリを足でペチャッ。

別の同盟軍である筈のコックはというと……それが台所より顔のみ突き出して、様子を眺めているのみで手を下さず……。

次のボーナス無し！

これを数回繰り返したら、流石のゴキブリ共も穴の中より出て来なくなった。そこで、又ガムテープを貼り直し、穴を塞いだのでありました。これが３月13日（火）朝、会社に行く前の仕事でありました。

後日談：

そしてその夜、東京のＴＢ部長代理が何も知らずにデリーに到着し、我が家に食事にやって来ました。どうやら「第一戦」は間に合ったようです。

この「通信」がそちらに届く頃、すれ違いにＴＢ部長代理はまた別の海外出張の予定があると本人から聞いており、この通信を覗き見るチャンス、しばらく無し！〈ＴＢ部長代理も「平和に」インド出張を楽しめることでしょう……〉

近頃は、この他にも屋根のヨシズ張（２階の屋根のコンクリートが日射で焼けるのを少しでも防ごうという涙ぐましい努力の日除けで、覗いた隣の印度人もビックリ！）の修理、水タンクの配管変更等々、「夏に向けての準備」があり、約束通りに来ない修理屋に頭に来ている事が多くなりがちです。

カルシウム不足で（または歳か？）怒り易くなった駐在員からの怒りのテレックスが入ったら、「ああ、インドは夏なんだなあー」とでも思ってください。

では又。

《第18信 完》

今は昔、
別棟の使用人部屋に住まふ彼の男（をのこ）の厨人（くりやびと）（料理人）、名をばラオ（RAO）と言ひ天竺寅（とら）（東）の方ベンガル（BENGAL）の出にして和食を得手とし、しばしば男の家を訪（とぶら）ふ本朝の客人これを大いに嘉（よみ）す。このラオ、根はそもそも大いなる善人なれどたまさか酔ひ痴れることありて、或る時彼の男、ラオの酒呑みをめぐりてラオと掛合ひせしことありきと、なむ伝へたるとや。

1990年5月20日

日本のみなさま

ニューデリー在 大泉正城

第19信　呑み過ぎはしませんの巻

(I DO NOT DRINK TOO MUCH.)

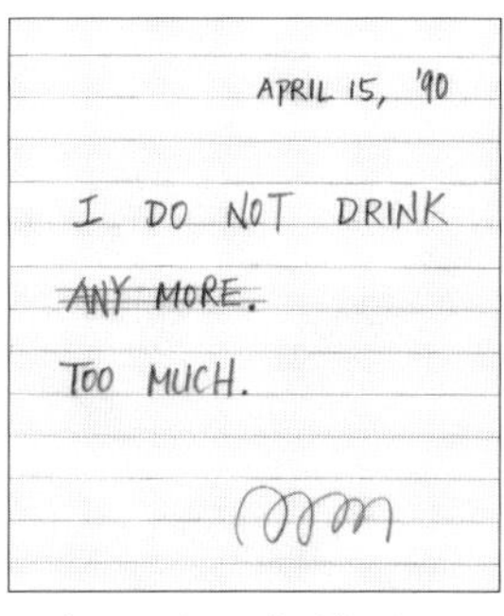
APRIL 15, '90

I DO NOT DRINK
~~ANY MORE.~~
TOO MUCH.

O氏の家には、住込みのコックがいて、その名をラオ（RAO）という事はインド通信の読者にもかなり知られているらしく、とうとう最近「ファンレター」が来るようになりました。これ迄も度々インド通信に登場しており、皆様にもお馴染

みの人物です。

今回はそのラオに代わって、「ファンレター」に対する「返事」を差し上げることとし度(た)く。

第1話 禁酒の誓約書

さて、O氏は、只今前頁の誓約書を書く、書かないで、コックとの「係争中」なのであります。

O氏宅に住込みで、ご主人のO氏と同様、最近はやりの単身赴任中の西ベンガル州出身のコックのラオ（氏）、普段は気も弱く、多少気の利かぬ面はあるものの、まともな日本食が出せるのでO氏宅を訪れるお客様にも好評で重宝な存在なのであるが、年に1～2回酒を飲み過ぎて勤務ができなくなるのが玉にキズ。そもそも印度人は、普段あまり酒を飲まない（？）せいか、酒に弱く、少量でも酔ってしまう。

4月12日（連休直前）

連休直前（今年は4月13日～4月15日が3連休）の4月12日（木）から酒浸りとなり、4月15日も酒の臭いをプンプンさせている。この間無断欠勤。だが、本人も心配になるのか、時々フラフラとO氏のいる母屋の方に様子を見に現れるが、O氏も女中も全く無視。本人無しで食事を済ませている。

本人に言わせると腰痛の為（台所で立ち仕事をするので腰を痛めているとか何とか理屈を並べている）、「サー、私は非常に多くのトラブルを抱えているんです（I HAVE TOO MUCH TROUBLE, SIR.）」なのだそうである。そこで腰痛を忘れる為に、薬の代わりに酒を飲まずにはいられない云々、云々とおっしゃる。（実際のところは、どうも悪友が遊びに来て、又は自分が友達のところに行っている？　酒盛りをやっているらしい……)

4月14日（土）

さてこのラオ氏、無視されているのに耐えられなくなったのか、酒が無くなったのか、金が無くなったのか、4月14日（土）にフラフラ現れて、薬を買うから300ルピー（給料の3/10）貸して欲しいと言い出した。

O氏：(冷たく)「先ず薬を買い、領収書を持ってきたら考えてやる」
コック：「クダ、クダ、腰がどうしたの、アアダ、コウダ」
O氏＆女中：(無視)
コック：(いつの間にか消える)

4月15日（日）夜

コック：(酒の臭いをプンプンさせて現れる)
「明日（月）は出勤日だが……」
O氏：(食卓で書き物をしている。日曜日故女中は休み)
「酒が臭い。酔っぱらいは嫌いだ」
（と言って顔をしかめ、天井扇風機を回す）
コック：「金を前借りしたい。次の給料で返すから……。薬を買う。領収書も持って来る」
O氏：「その金で又酒を買うからダメだ。酔っぱらいとは話をしない。明日ノーマルになったら又話そう」
コック：「クダクダ。アノネ、ソノネのネ」
O氏：(知らん顔をし、テーブルの上を片付け始める)
コック：「ダンナは怒っている。デモ、コレハ……分かった。ダンナは俺が嫌いなのだ。それなら直ぐ田舎へ帰る……と言っても切符が……。予約が必要だから2日後になるが……」

O氏：（知らぬ顔で片付けを続ける）
コック：（慌てて）「片付けは自分がやる」
　　（と言って、片付け始める）
O氏：（紙と鉛筆を持って来て）「これにサインしろ」
　　（と言って、【私は、もうお酒は飲みません（I DO NOT DRINK ANY MORE.）】と書いたメモを出す）
　　「これにサインしたら、300ルピー貸す」
コック：（紙をしげしげと眺めて）
　　「ダンナ、これは困る。友達が来て飲んだら、ダンナは酒が臭うと言って怒る」
O氏：「でも俺は、酔っぱらいは嫌いだ。自分をコントロール出来ぬほど飲む奴はもっと嫌いだ」
コック：「クダ、クダ……」
　　（その内に、台所に入って、片付けを始める。この日は、日曜日で本来コックも休み。そして又現れる）
O氏：（メモを修正して）
　　「では、【私は、飲み過ぎはしません（I DO NOT DRINK TOO MUCH.）】にサインしろ」
コック：（しばらく考えて）「これにもサインできない」
O氏：「それでは金は貸せない。明日ノーマルな状態になったら又話をしよう」
コック：（紙の前でウジウジして）「分かった。お休みなさい」

こうしてかのラオ氏は目的を果たせずに消えたのですが、この後はどういう事に相成るのか……。

それが、「I DO NOT DRINK TOO MUCH.」にはとうとうサインしませんでした、あのラオ氏は。勿論前借りもなし。

ふ〜〜ん？　男の意地かな〜？　と感じているこの頃。

サイン待ちの紙は２～３日テーブルの上に放置されていたが、本人もきまりが悪くなったのか、何時の間にか部屋の隅の方に片付けてあった次第。

第2話 ダンナ、電気を直して欲しい

４月22日（日）

１週間後の日曜日である４月22日も、ラオは一寸顔を出して台所に放置してあった、ナベ、カマ、ラーメン丼ぶり（Ｏ氏の自炊の残骸）を片付けていっている。

フ～ン？　感心ではないかと思ったら……。

「あっ、ソーソー、ダンナ。自分の部屋の電気が点かない。直してくれ」と言う。

何を言っているんだ？　電気？　と思って部屋のスイッチをパチン、パチン、やってみたら電気が点かない。

なぁんだ停電ではないか、そこでお説教。

これは停電というものである。停電になったら電気は来ないのでアル。従ってお前さんの部屋のみでなく皆電気が来ていないのでアル。ホラ、今迄大雨と雷が……。

パチンともう一つのスイッチ……アレレッ⁇　点いたぞ、電気が……。

ラオがニヤリと笑って（と思えた）、

「やはり、母屋の方は電気が来ている」

と言ってＯ氏の顔を覗いた。ご主人様であるＯ氏は、グッと詰まったものの、かろうじて威厳を取り戻して、

「ウンニャ、これはバッテリーが作動して電気が点いたのである……」

と言ってはみたものの、この電灯はバッテリーには繋がっていない筈だなー？　やはりヒューズがやられているのかなー？

「ダンナ、そこそこ、このヒューズ・ボックスの中のヒューズ

を見てくれ」
　ふ〜ん、分かっているネ〜、ラオも。

　そこで、ガサゴソとヒューズ・ボックスの中のヒューズ（と言っても銅線なのであるが……）20数ヶを全部見たら、何と一番最後に見たヒューズが切れていた。
　ヒューズならぬ銅線を取り換えてしばらくするとラオ氏再登場して、
「ダンナ、直った。サンキュウ」
「ウン、ヨロシー」（ご主人様も大変だ）

第３話 続いて母屋の電気が故障

　さて、念願の昼寝をしようと思って寝室に行って電気をパチンと点けようと思ったが、点かない。
　変だなー？　と思って又家中の電灯をパチン、パチンとやり、ヒューズ・ボックスのヒューズを全て点検するも原因分からず。バッテリーを覗くと点いている筈の表示灯が点いておらず様子がおかしい。アレコレとバッテリーをいじってみたが、これまた分からず。
　これは困った事になったワイ。修理を頼まねばならぬが、すぐ来る筈が無いし……。明日の月曜日は非常に忙しいし、夕方からカルカッタ及びチッタランジャン（CHITTARANJAN：カルカッタに近く、インド国鉄の電気機関車工場がある）に４〜５日出張になるし……困ったなー。電気が故障のままで家を留守にもできぬし……まあ、今日は日曜日だし、電気屋も休みで連絡が取れぬし、全ては月曜日。
　昼寝、昼寝。

ガー、ゴー、グー。

4月22日（日）夕方

そして……夕方7時。

ピイー、ピイー、ピイーと目覚ましの音。

起きて電気を点けようとしたが、点かない。

ウーン？？？　あっ、そうか、バッテリーの故障だったなー、とフラフラと起き上がる。電気かー、重いなー、と思い出してもう一度家中の電気のシステム／配線／ヒューズの点検にとりかかる。

その結果、バッテリーシステムに繋がっている電灯/扇風機と、エアコンの繋がっている壁のコンセントがおかしい事に気付く。エアコンが使えぬと大変だと思ったものの寝室のエアコンは動いており、これは別系統になっている。

まあ、寝室のエアコンが動けば……とあれこれ考え、ヒューズ・ボックスの裏を覗くとボーッと明るい。蛍の灯のようなものが見える。？？？？

ありゃー大変だ。配線のどこかがショートしているらしく、電線が赤く焼けて灯が点いているぞー。三相の動力線だ。どうして「三相」はこうモメルのだ？（O氏は現在「三相交流電気機関車」の入札案件をフォロー中）

難物デリー電気局

そうだなー？　これは「DESU」（デリー電気局）の方に問題があるのかも知れないぞ？……。しかし、「DESU」の奴は屋内配線の問題というかも知れぬなー。

まあ、ともかく「DESU」に電話してみるか、と思って2度電話すれど繋がらず。（「DESU」への苦情多く、電話回線は何時も話し中の事が多い）

こうなったら「DESU」の事務所へ押しかけよう。ということで車を出して「DESU」へ押しかけたのデス。幸いに、1年かそれ以上前に「DESU」の事務所に行ったことがあり、道も場所も覚えていました。

道々車の中で、後任者への引継ぎは仕事よりも生活ノウハウの引継ぎが重要だなーと考えた次第。

「DESU」の事務所でOIJUMI/OIZUMI問答をして、“30分以内に”係員が行く、と言うのをウソ八百だろうと聞き流し、家に帰って来て書き物をしていたところ（バッテリーに繋いである蛍光灯が数本は点くので最低限の照明は当面確保できている）、何と40分位で「DESU」の作業者がやって来た。

「DESU」の作業員!!　驚き！　外交官と間違えたかな？

（大使館の名前を持ち出すと、時に彼らの動作が早くなることあり）

やって来た2人の「DESU」の人間……（人間服装で判断してはいけないが……）何だか身ぎれいとは言えないオジサン達。この人達電気の事が分かるのかなー？　と思って見ていると、何やらテキパキとやっている。フーン分かっているのかな～？

ヒューズ・ボックスを一目見ると、今度は道路の配電ボックスへ。O氏も物見高くついて行く。

「事件」好きのラオ“不幸にも”不在

こういう時はラオがいると必ず覗きに、ステテコ、いや腰巻姿で出て来るが、今日は夜遊びに出掛けたものか部屋にもいない。ラオの好きな「事件」が起きているのに、損をしたぞ、彼奴（きゃつ）は！

原因は道路の配電盤のヒューズが飛んでいたらしく、早速ヒューズを取り替え、屋内のヒューズ・ボックスの裏をゴソゴ

ソいじって結線のチェックをして完了。そして、この身ぎれいとは言えないオジサン達曰く、
「これにて問題なし（NO PROBLEM）」
　O氏もすっかり嬉しくなって、オジサン達に各々10ルピーずつ合計20ルピーのチップを渡したのでした。

　印度、そしてインド、だからこそ印度。何かが必ずある。何か必ず事が起きる。

　かくして印度は夏となり、そしておきまりの電気問題が発生し、使用人の長期休暇要求も出て来ると……そう、本当の夏が来るのです。

　この２～３日はダスト・ストーム「DUST STORM」（「砂塵嵐」、日本の春一番の土埃のような、夏の砂塵を伴う嵐。但し程度はもっと強烈。更に、建築現場のあの○○コも……。そう、乾燥して一緒に飛ぶんです）が続いています。明日あたりは水の問題が出て来るのでは……。
　では又。

付録：
「デリー、七つの都の物語」第一話お待たせしました～。
　中世デリーのスルタン政権時代の歴史物語「デリー、七つの都の物語」いよいよ登場！
※「デリー、七つの都の物語」は、当時「インド通信」にオマケとして添付された、中世～近世にわたるデリー近郊の七つの都城遺跡と、それらにまつわる歴史物語を、写真付きで紹介する連載の読み物でした。

《第19信 完》

今は昔、
天竺の雨季、それは天竺のその年の命(めい)を定むると言ひても過言に非ず。その雨季と共に出で来るもの。すなはち、先触れは砂塵嵐の「ダスト・ストーム（DUST STORM⇒インド通信【第八信】参照)」、「雷公」に始まり、季たけなはともなりぬれば、ウ～～ンと唸り来るデング熱の運び人たる「蚊」、路を川となす「洪水」、コレラなどの「万病」、雨季到来のバロメーターたる「大蚯蚓（大ミミズ)」、電話・電信の「回線故障」、それに……「芥虫」。これらは天竺人のまつりごとにも従はぬ常連なり。これらを苦々しとおもへば、天竺渡世は苦闘のつづきにしかみえぬものなれど、彼の男(をのこ)何か事あるを興味津々に待ち受け機会を逃さざりしと、なむ伝へたるとや。

1990年7月1日

日本のみなさま

ニューデリー在 大泉正城

第20信　ミミズ式モンスーン計の巻

来ました！　来ました！　今年も来ました！
何が？
モンスーンが、待望のモンスーンです。
良かったですね～！

出ました！　出ました！　今年も出ました！
何が？
ミミズ君です、あのニョロ・ニョロ動く。

そう……（ネ？）

6月30日（土）

新聞も「天気予報通りに来たゾ！」と驚くほど正確に、デリーにモンスーン（雨季）がやって来ました。

予報では「6月29日（金）より48時間以内」という事だったので、正に的中と言える訳です。

もっとも、今年は6月末が近づくにつれてあのカラカラしていたデリーがムシ・ムシと蒸して、外出すると下着が汗でベタベタするなど「近づいているな」と感じさせるものがありました。

6月30日正午、雷を伴った雨。最終ホール近くで、あと2～3打でホール・アウトと大粒の雨の中であるにもかかわらず、格段に涼しくなり体が楽になった為、これなら雨さえ上がればあとハーフ……と思った途端に「ゴロッ」と雷公ひと声。来た！　と後は一目散に退散。

こうして今年のモンスーンは始まったのです。

O氏のゴルフ開始（1989年7月1日）満1年はこのようにしてホール・アウトせずに終わりました。雷にまで「ゴロ」と言われるほどの球筋で先が楽しみ？　です。

7月1日（日）

この日（つまり今日）は朝からザーザーと気前よく降り、降り止んでも空はドンヨリと重く、丁度モンスーンの最盛期のようでした。

日本も「モンスーン地帯」であり、6月に梅雨がある訳ですが、インド特に内陸インドにおける「モンスーン」の持つ意味は、他の季節が乾燥しているだけに、相当異なった意味を持っています。日本には無い「雨季」そのものです。

日本の梅雨はジト・ジトと暗いイメージがあり歓迎されない面が強いのですが、ご当地インドでは「お待ちかね」のシーズンです。即ち、5月・6月、カンカンとフライパンの上で焼かれたインドは7月の雨季の到来でジューンと冷やされるのであり、これが無ければとっくに狂い死にしています。

従って、雨季の到来の予報は、ご当地インドでは、日本の桜前線のように期待を込めて報道されます。今年は、既に相当印度化したO氏は、このモンスーン前線の報道を机の横の壁に貼りつけて、停電と戦っていました。次の図がそれです。O氏の汗で黄色く変色した新聞の切り抜きが見えますか？

見えない？　そうそう、白黒コピーデシタネー。

モンスーン前線進行図

点線：例年の前線進行

実線：今年の前線進行

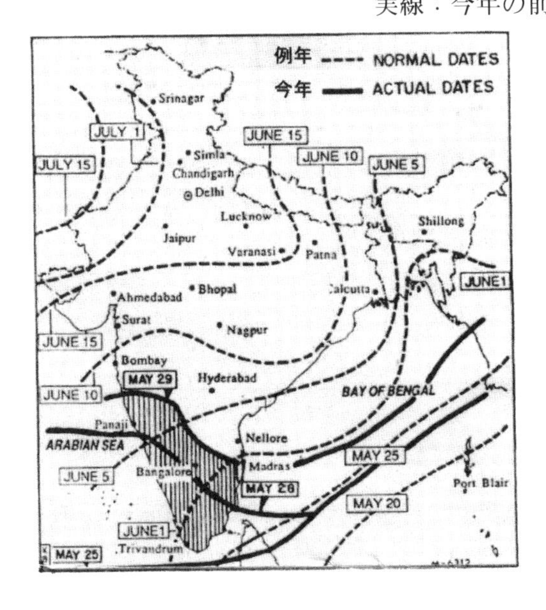

では、このモンスーン様、インドにとって全て良い事ずくめか？　というと、さに非ず。何でも過ぎたるは及ばざるが如しで、問題も色々出て来ます。

出るものその１💡💡

洪水デス。今年はデリーでも相当出るのではないかとＯ氏は想像しています。今年は乾季でも時々雨が降り、最高気温も例年のように45℃を超えたり、ましてや昨年のように48℃にはならずに、42℃程度止まりでした。新聞でも例年の“熱波”（HEAT WAVE）が殆ど出て来ず“熱波による死者○人”という「年中行事」がありませんでした。（正確には若干あり）

代わって、Ｏ氏の予想では、デリーの東側を流れるジャムナ河が洪水になり……不謹慎ながら、Ｏ氏のゴルフができなくなるのデハナイカ？　デモ……モシカスルト……会社も休みかな？　スルト……「会社人間」のＯ氏は狂い死にかな？　妄想、ピシャリ！

出るものその２💡💡

蚊が出ます。デング熱の素です。（テング熱＝天狗熱、と思っている人がいますが、正しくはデング熱です。「デング」という人の名前より来ています）今迄暑過ぎて山の方へ避暑に行っていた？　蚊が舞い戻ってきます。これにやられると１週間～10日間位寝込んでしまう為、会社が困る訳でデス。妄想！　ピシャリ！　早速蚊が出てきましたネ。

出るものその３💡💡

そう、ミミズです。何か事が起きると見逃さないＯ氏も去年はつい見逃しました。（一昨年については「インド通信【第９信】をドーゾ）今年も出ました。雨季になるとやはり……。雨が嬉しいのか？　苦しいのか？　今迄隠れていた地中より出てきてタタキの上、そして家の中にも侵入してきました。雨季到来の正確なバロメータです。ミミズの甲羅干しが始まるとデリーの本格的な雨季です。今年のデリーの雨季はこうして始まりました。

又ネ。

付録：
「デリー、七つの都の物語」第一話の続き。
※「デリー、七つの都の物語」は、当時「インド通信」にオマケとして添付された、中世～近世にわたるデリー近郊の七つの都城遺跡と、それらにまつわる歴史物語を、写真付きで紹介する連載の読み物でした。

追申：出るものその４
大切な雨季の主役を忘れていました。そうなんです、出るのです。雨季になると。電話、テレックスの回線故障です。雨季のみだけでは無い、ではないかって？　何時もそうだって？　……まあ……そう言われればそうですが……。これでも印度在住３年、多少は印度を愛していますからネ。印度の悪口ばかり言う奴は敵だ！　と思っているんです。でも電話の故障は困りますネ、正直言って。ご主人様のいない間に「電話を勝手に使っている？」使用人も困っているようです。つまり、印度全体の大問題なんデス。
先週のカルカッタ事務所は電話、ファックス、テレックス全部不通でクーリエ（宅急便）を使って急場をしのいでいるとか。我が家の電話も先週/今週と不通。途中で「別の道の回線に繋ぎ」一時直ったという事だったのですが、全てがこのようなパッチワークで処理しようとするので、その内に何が何だか分からなくなり、或る日法外な請求書が来てビックリしたら、隣の家でも同じ電話線を使っていたという話も聞きます。

日本もまだ梅雨が続いていると思いますが、皆様、頭の中にカビを生やさぬようにお互い気を付けましょう。

今回の本当の終わり。

《第20信 完》

今は昔、
彼の男(をのこ)の天竺暮らしも正三年を過ぎたる庚午の年（平成二年、一九九〇年）の葉月中ごろより長月初め、ただの一月だに満たぬ間に、前世に如何なる悪業ありてか男、二度も蜂に刺さるるとぞ。
一度は、天竺の都の名門高爾夫球場（デリー・ゴルフ・クラブ）の球道脇にありたる遺跡の一つ（廟）の写真を撮りし時、二度目は、朝起きて前庭に向かふ格子戸を開けしその刹那なりと、なむ伝へたるとや。

1990年9月9日

日本のみなさま

ニューデリー在 大泉正城

第21信 【二刺し】は大物だろうかの巻

「ガッ、ハッハッハッハッ！」が良いだろうか？
それともやはり「ワッ、ハッハッハッハッ！」が良いか？
……O氏は迷うのでした。

何しろ「ハチの一刺し」（※）で「大物」だったのですから、「二刺し」のO氏は超大物であり、笑い方もそれにふさわしいように変えなければいけないと、まあ、そう思い込んだ訳です。

※補足「ハチの一刺し」：
当時「首相の犯罪」として有名なロッキード事件に係わる、時の流行語。

「ハチは一度人を刺したら死ぬと言われています。今のわたしはハチと同じ心境です」
元権力者の田中被告側が無罪を主張したのに対して、検察側証人として出廷し、次々と重大証言・発言を繰り返した榎本三恵子氏（田中首相の筆頭秘書官であった榎本氏の妻）が記者会見で発言した言葉。

迷いつつも、一路O氏は医者に向かったのです。
何故かって？　愚問です。
そうでしょう？「大物」は騒ぎの後は医者に行く必要があるのです。ほら、大物は皆医者通い、いやうまく行けば入院してるでしょう？

背中にチクリ！と二刺し目：

その日の朝O氏は7時過ぎに目を覚まし、雨上がりで気温も下がり少々湿気も多いものの珍しく気持ちの良い朝の空気を吸いに、前庭に通じる網戸とガラス戸（⇒インド通信【第15信】のO氏宅の見取図を参照）をガラガラと開け外に出た途端、背中をチクリとやられ飛び上がったのです。
今度は刺された瞬間に分かりました。黄色の蜂がブーンと飛び、ウーム……と飛び去る蜂を眺め、その色が黄色であることを認め、あれが「YELLOW BEE」と納得したのは良いものの、直ぐにウマクナイ事に気が付きました。

そうです。その日の夜O氏は一時帰国の予定であり、前々からデング熱に罹（かか）らぬようにと睡眠時間をタップリ取り、コレラにならぬよう新聞のコレラ便りに気を付け、風邪を引かぬようカラスの行水に徹してきたにもかかわらず、敵は思いがけぬところから現れました。

「大物」としても困ります。これで背中がブワーと腫れると座席にふんぞり返る訳にもいかず、背筋を伸ばして座る必要がありますが、背筋を伸ばした大物にはまだお目にかかった事がありません。

ウーム困ったなー。背筋を伸ばしての「ガッ、ハッハッハッハッハー！」は似合わないダロー？

ともかくも、大事を取って医者のところへ転げ込んだのですが、今回は医者は一寸診ただけで、これは大した蜂ではないと何の治療もせず、痒くなったらこれを塗れとビンに入った塗り薬をくれたのみ。

「ガッ、ハッハッハッ」か？「ワッ、ハッハッハッ」か？

と迷いつつ医者のところにやって来たO氏としては拍子抜けする事夥しかったのですが、これで座席にはふんぞり返って帰れそうだと半ば納得したのです。

それにしても、O氏はこれで、このところ合計【二刺し】も蜂にやられている勘定です。

一刺し目は名門デリー・ゴルフ・クラブで：

それは8月の12日の事でした。

その日、腰の調子が今ひとつであったO氏はゴルフに参加することを諦め、ゴルフ場の中に散在する遺跡の写真を撮りに皆の後ろからコースをノコノコと歩いていました。

元来デリー・ゴルフ・クラブ及びその周辺は、デリー・サルタナット（中世～近世のデリー・スルタン政

権）後期の遺跡の宝庫であり、デリー・ゴルフ・クラブそのものも、その昔英国人が墓廟地を整地してゴルフ場にしてしまったと思われる節があります。そのせいか、ゴルフ場には亡霊がいるようで、茂みに打ち込んだボールは亡霊が食べてしまうのか、ボールをよく紛失してしまいます。平安を乱された霊が怒っているのでしょう。（キャディーがボールを見つからないようにする為に茂みの奥の方へ蹴っ飛ばして後からコッソリ取りに戻る、という人もいますが……）

そこへO氏がボールのお供えもせずに勝手に入り込んで、遺跡の写真を物にしようとガサゴソやったものですからたまりません。亡霊に咎められたO氏は廟に向ってカメラを構えた途端チクリとやられました。

その日は何でも無かったのですが、夜から朝にかけ腕が大きく膨れ上がり、更にシビレテきました。何にやられたのか分からず、破傷風の心配も出てきました。

そこで翌朝予定していた出張を急遽取り止め、医者に行ったのですが、腕には包帯グルグル巻きで、完治するまでに４～５日ということになってしまいました。

こうしてO氏は医者から、YELLOW BEEだの、将又(はたまた)恐ろし気なBLACK BEEだのという講義を受けている内に、「何故自分がBEEに？」と当然の疑問を持ち、そしてこれは「ハチの一刺し」に違いないという結論に至ったのも当然の事でありましょう。

ン？　まてよ……？　ハチに刺されたのは、大物の元首相ではなく秘書だったかな？　そうすると小物か？

……とすると……「イッ、ヒッヒッヒッヒッ」でなくてはいけないか？　では又。

追申：デリー・ゴルフ・コース内の遺跡

折角なので、デリー・ゴルフ・コース内の遺跡の写真をいくつか、お見せしましょう。大部分がムガール朝期のものです。

14番/16番のティーグラウンド後ろ
“O氏蜂に遭遇”の地

11番ティーグラウンドの右脇藪の中
こういうのでしょうね。ボールを食べてしまうのは……。
（ティーグラウンドの脇でどうしてボールが無くなるのでしょうね？？？　後で誰かが拾いに来る？）

17番のティーグラウンドの後ろ
BARAH-KHAMBA
（BARAH＝12、KHAMBA＝柱）
今日のゲームを諦めた人、チョコレートの数を数えている人、そろそろ先が見え始めた頃に現れる建物です。1450～1550年の間に建てられた廟建築。

18番後方一帯

LAL - BANGLA

（RED BUNGALOW）

３つの壮大な赤砂岩の廟を含む墓域。その廟の一つにはムガール帝国第15代皇帝シャー・アラム（在位：1759－1806）の母LAL-KUNWAR、及び皇帝の娘BEGAM JANが眠ると伝わる。

付録：

「デリー、七つの都の物語 （第二話：第二の都、SIRIの物語）」

※「デリー、七つの都の物語」は、当時「インド通信」にオマケとして添付された、中世～近世にわたるデリー近郊の七つの都城遺跡と、それらにまつわる歴史物語を、写真付きで紹介する連載の読み物でした。

《第21信 完》

今は昔、
本朝よりおなじく天竺の都に差し遣はされし者どもある時その一族らと共に身体を働かし楽しぶ集ひ（運動会）を催したることありき。彼の男（をのこ）もまたこれにくははり、よい歳齢をして大いに戯むれ、天竺なれば然るべく牛様となるべきところをさてさて馬となりしと、なむ伝へたるとや。

1990年12月2日

日本のみなさま

ニューデリー在 大泉正城

第22信 天竺で馬になったオジサンの巻

今は昔、天竺によい齢をした一人のオジサン有りて、常々運動不足に悩めり。このオジサン、自分では若いとの思ひ込みが激しく、オジサンたる事を認むるをなかなかに潔しとせず、周りのヒンシュクを買ふ事常たり。

或る時、本朝より天竺の都に遣はされし者ども、その一族らと共に集まりて、日頃固くなりし筋肉を動かさんとせし事あり。彼のオジサン、休日は玉転がしの方が良いと思ひしが、周りこれを許さず、従ふ。

オジサン、たかが運動会と思ひしが、されど運動会、秋晴れの天竺青の下ついつい全力にてはしゃぎ、終はりたる後は夕刻昼寝をしたまま、面倒なりとて翌朝まで寝続けしとや。人これを平和と言はんか、末法と言はんか。

玉入れ楽勝！ & 綱引きヘトヘト🌀🌀

　O氏の参加したのは先ず玉入れ。これは特に何ということも無く勝つ。

　次に綱引き。これが疲れた。普段如何に全力を出し切っていないか身にしみて判明。最初の内は皆でヨイコラサと楽勝のつもりでいたが、いざ綱を握ったらムラムラとその気になり、「オー・エス」「オー・エス」と大声を出して力が入る事3回。2対1で勝ったのは良いが、3回目はもうヘトヘト。見物席に戻って来たら、しばらく横になって気分も良くない、という始末。ついつい年甲斐もなく騒いでしまったのでした。

想定外の騎馬戦

　さて、最後は騎馬戦。大人が馬となり、日本人学校の生徒が騎手で鉢巻き取り。O氏はこの競技には出場の予定ではなく、競技進行係で出場者の数を数えたり、整列させたりしていたのだが、数が足りないので出ろ、ということになり、本人もマンザラお祭り騒ぎが嫌いという方でもないので、出場者の方に入ってしまった。ところが背の高さから馬の「前立」になってしまい、ウマクナイと思った時は後の祭り。

　両軍に分かれて、馬を作り、どんな騎手が来るかと見ていると（この類の騎馬戦は騎手の強さで勝負がつくので）、大きいのやら、小さいのやら、強そうなのや、弱そうなのと色々あり、それぞれ適当な馬を見つけて乗っている。

　O氏の方は数の埋め合わせに出来た馬なので、列の一番最後に位置し、中々騎手が来なかったのであるが……。あれ？　重そうな女の子が来たぞ……あれにならなければ良いなあ……。本人も自分が重いという事を意識しており、遠慮して馬が決まらずウロウロしている。

その内に馬の右足の人が堪りかねたらしく、
「〇〇、こっちに来て乗りなさい！」
ウーン、選りにも選って余計な事を……と思ったが……ハッと気が付いた。
これはあの女の子のお父さんだなと。O氏も2児の親、娘を思いやる親心には勝てず、観念して乗せることになったのでありました。太っていようと、少々鼻が上を向いていようと人の子の親、親の気持ちは痛いほど分かった次第でした。

さて、騎手の方は「重くてスミマセン、スミマセン」と遠慮しいしい乗ったが、果たして腰を下ろした格好からヨイショと持ち上がるか、馬の方は心配ではあったものの、何とか立ち上がることはできました。

第1回戦

号砲一発！
両軍ワーッと騎馬が走り出し（O氏の方は、内心足がヨタヨタともつれるのではないかと心配で、用心しいしい動き出したのであるが）、それぞれ格好の敵を見つけその方向に向かったり、逃げ出したり、闘いが始まりました。
幸い足腰はフラつかず軽快に？　馬は動いた。
ところが敵はあまりこっちには向かって来ない。それならこちらから追っかけようと、老馬ながら走っていくと敵は逃げ腰。敵に追いつくと、アッという間に相手の鉢巻きを取り払ってしまった。アレッ？？　こっちの騎手は女の子だった筈だが⁇ままよっ、それっ、次だ！　又、アッという間に鉢巻きをむしり取ってしまった。ウーン、強いぞー！　これは面白い！
という訳でもう1騎、合計3騎もやっつけて、第1回戦を意気揚々と凱旋。

第２回戦

今度も持ち上がるか心配だったが思いのほか楽に持ち上がった。

「ドーン！」と号砲。

今度もどういう訳か相手は初めから逃げ腰。どうも騎手の女の子は体格の具合から学校で腕力のある方らしく敵は皆避けている様子が見える。大体小学生の高学年とか中学生は、女の子の方が腕力があるのは、その昔に小学生を経験したＯ氏にも理解できた。この馬と騎手の組み合わせは敵に相当の威圧感を与えているらしいと分かり、それからは怖いものなしの心境となり、この回も３騎の鉢巻きを手に又凱旋。

という次第で、騎馬戦も親心のおかげ？　で勝ち、Ｏ氏の出場した競技は全て勝ち、久し振りで入札のウップンを晴らしたのでした。

「今は昔」、良い年をしてハシャイダ、天竺に暮らすオジサン有りしとや。

では又。

付録：

「デリー、七つの都の物語（第三話TUGHLAQABADの物語）」

※「デリー、七つの都の物語」は、当時「インド通信」にオマケとして添付された、中世～近世にわたるデリー近郊の七つの都城遺跡と、それらにまつわる歴史物語を、写真付きで紹介する連載の読み物でした。

《第22信 完》

今は昔、
その宗門のなせる業か、天竺人は総じていきものを弑(しい)するを好まずと言はるるものの、同じ天竺人の間と言へどもたがひに宗門異なればまた異なる有様を示し、古よりの次第、因縁もくははりて、時に激しきいさかひ生ず。彼の男(をのこ)、天竺の行く末を鑑みるにこれを憂ふと、なむ伝へたるとや。

1990年12月22日

日本のみなさま

ニューデリー在 大泉正城

第23信 忍び寄る暴力の影の巻

A LONG WAIT: Three foreign tourists squatting at the main gate of the Taj Mahal in Agra on Monday as the monument was closed following communal clashes. The Taj Mahal was reopened on Tuesday after the four-day closure. — TOI photo by T. Narayan.

待ちくたびれて：月曜日、タージマハール正門前で座り込んでいる3人の外国人観光客。対立する宗教間の衝突騒ぎで、タージマハールは4日間閉鎖され火曜日に再開された。

皆様今日和。デリーは寒くて寒くて、夜はヒーターをつけて過ごしています。気温が40℃を２～３度超え、蚊も出なくなったと５月に報告したのがウソみたいです。

12月21日の朝刊は、デリーは前夜（12月20日）今冬最低の最低気温4.7℃を記録したと報じ、その翌日の12月21日は更に最低気温が下がって4.1℃を記録（平年より4℃低い）と報道しています。これはヒマラヤの方から寒波が来た為で、数日したらデリーの新聞にもカシミールで雪というような記事が出るかも知れません。逆に、伝え聞くところでは、日本は異常に暖かいとか。スキーヤー待望の雪は来ましたか？　ご当地は、カシミール地域が紛争地帯である為、今年もカシミールでのスキーは、昨年同様、駄目だろうと諦めています。

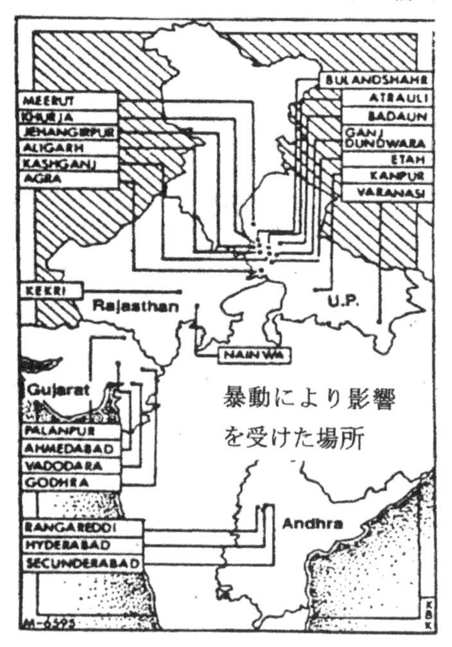

さて、我が天竺の地、このところ又あちこちでKILLED（殺された）だのARRESTED（逮捕された）だの騒然としたニュースが目立ってきており、日本人社会の間でも「偉大なる民主主義国家」印度の将来に暗雲を見る人が出始めています。

今回の新聞報道の特徴は、“COMMUNAL RIOTS”（対立する住民間の暴動）という抽象的な表現をしており、その背景となっているものが必ずしも明示されていないのですが、大部分はヒンズー教徒と回教徒の間の対立問題であるようです。新聞報道は、報道を自己抑制しているようで、読む方が背景を注意する必要が出て来ています。

従来、印度は「偉大なる民主主義国家」として自他ともに認められ、非能率もこの民主主義国家維持の為と正当化されてきました。

ところが、最近この国で目立ってきた現象を見聞きするにつれ、果たして近代民主主義に基づいた「偉大なる民主主義国家」であるのか否か疑問が出て来ました。各地で増大しつつある暴力の背景を見ると増々その感が強くなります。

この状態を理解する為に、先に仮説をたててしまうと、「近代以前の村落共同体の上に英国式民主主義の形式のみが乗っかっている状態」ではないかと思われてきます。近代以前ですから、勿論政教も未分離です。政治家の外見的スタイル（服装）も、行動形態も、村落共同体のボスそのもののように見えます。

女性の服装もサリーが圧倒的です。

独立時に、様々の矛盾を内包しながらも、ガンジー流の友愛主義（聖人のみ実行可能）とネルー流の指導された民主主義でオブラートに包まれて来た印度も、対立する利益集団/共同体が個々に自己主張を開始し始めた現在、行き詰まっているのではないかと思われます。

対立する利益集団相互の調整機構又は対立を超えた共通の利益が明示されない限り、分裂は増々激しくなり、分離の道を辿る事になるのではないでしょうか。「マンダル・レポート」（弱者保護の為、弱者用の一定枠の椅子を確保/保証する事を勧めている）問題にみられたように、頭で考えた方法も現実の利害関係の前にはなかなかうまく作用していません。

ヒンズー教のお寺の建立問題も、根深いヒンズー/回教の対立を深めています。これなどは正に近代以前と、局外者の我々には思えるのですが……。V.P. SINGH（シン）政権を倒してしまうほどの政教未分離振りです。

問題はヒンズー教徒と回教徒の両当事者間にとどまらず、ただでさえ貴重な外貨収入源であったインドの観光事業にも影を落しており、O氏のあの「カシミール大スキー行」も2シーズンのみで、去年も今年も実行不可能になってしまいました。勿論やってやれない事は無いのでしょうが、何かあったらアホ呼ばわりされる事必定であり、君子であるO氏は危うき事には近寄らない訳です。

最初のページの写真はその最たるもので、あのインド第一の観光地アグラのタージマハールまでが“COMMUNAL PROBLEM”の為に閉鎖されてしまった事を示しています。幸いに4日間程度にて再開されたようですが、又いつ閉鎖されるか分かりません。

困ったものです。

アヨーディヤー（AYODHYA）という所にヒンズー教のお寺を建てる、いや中止せよ云々の騒ぎは、今年の初めから急に注目を集め始めましたが、印度の宗教対立がどの程度のものか理解するのに適当な材料である為、以下に説明する事とします。

インド人の大半はヒンズー教徒ですが、それでも11%は回教徒であり、何かというとモメ事の起きる要素を抱えています。

さて、話は神話の世界にまで遡る、というのが印度らしいところです。ヒンズー教徒にとって、ラーマ（あの叙事詩「ラーマーヤナ」の主人公）はビシュヌ神の化身として、今に至るまでヒンズーの神々の中でも絶大な人気を有する神様です。

このラーマが生まれた場所（そして悪魔ラーバナを滅ぼして、シータ妃を取り戻し凱旋して戻った所）がアヨーディヤー。古代コーサラ国の初期の首都の地でもあります（ついでながら、タイの「アユタヤ」もインドネシアの「ジョグジャカルタ」〈インドネシア語では「ヨグヤカルタ」と発音〉もこのアヨーディヤーの名前を由来としています）。つまり、ヒンズー教徒にとって大切な聖地という事になっており、その昔には、ラーマを祭るヒンズー寺院があったと言われています。

紛争中のアヨーディヤーの寺院

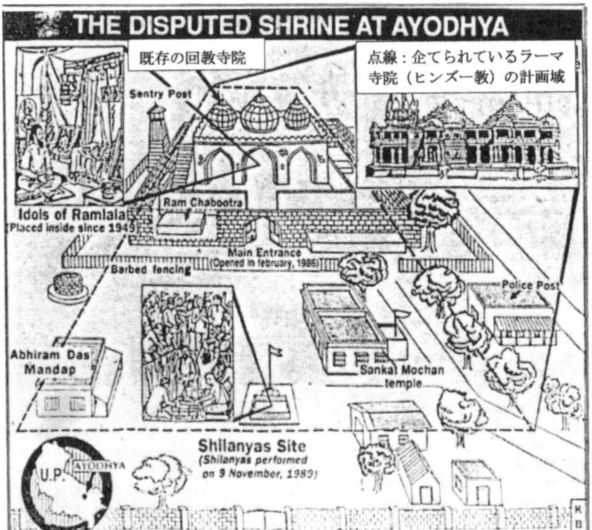

ここで、本当に物語の通りの歴史があり、ヒンズー教の寺院が有ったのかどうか、という事はあまり問題になっておらず、ともかくもそういう事になっている、というのだソーデス。

話を複雑にしたのは、後世回教徒の侵入に伴い、多くのヒンズー寺院は破壊され、その跡に回教寺院が建設された事であります。（デリーのあのクトゥブの塔、「クトゥブ・ミナール」のある地も同じで、12世紀末に建立された回教寺院跡の地下2mには破壊されたヒンズー寺院が眠っています）
元々ヒンズー寺院が有ったか否かはともかく、アヨーディヤーの地に回教寺院を建てたのは、ムガール朝初代のバーブルで（16世紀初め）、今でも回教寺院が残っています。（上記スケッチを参照）

さて、シン前政権に対して閣外協力をしていたヒンズー至上主義者（「人民党」という政党を結成し、前回の総選挙で大躍進し、今また選挙をやったら更に勢力が伸びる事が予想されている）の強硬派は、聖地回復を目指し、この回教寺院を壊してヒンズー寺院を再建しようとしているから大変。只さえ各種対立でテンヤワンヤの印度に、ヒンズー対回教という直接対立の種が蒔かれ、問題が表面化してきた次第。

ヒンズー至上主義者は、今年（1990年）の10月30日を目標に、聖地アヨーディヤーを目指して大行進を始め、対する時のシン政権は、行進の先頭に立つ人民党の党首を逮捕し、また聖地突入を目指す寺院建立奉仕団に対して発砲し、死者を出したため、人民党は政権支持を撤回し、シン政権は少数派となり退陣に追い込まれてしまいました。

その後の政権下でも、アヨーディヤー警備の警察と寺院建立奉仕団の間で衝突が繰り返されています。共和国インドにとって、ヒンズー教徒と回教徒の対立は建国以来の問題であり、別に珍しい事では無いのですが、インドの将来にとって暗雲を投げかけているのは、政治に宗教を持ち込む時代逆行の集団があり、それが政権の命運を左右する程の勢力を有している事にあります。

聖俗分離の近代精神がインドに根付くのは何時の事になるでしょうか。もっともこの聖俗未分離の状態に魅力を感じてインドに没入してしまう西欧人も多いのですが……。

今回はこの辺で、又。

付録：
「デリー、七つの都の物語」第四話
（JAHANPANAHの物語）
※「デリー、七つの都の物語」は、当時「インド通信」にオマケとして添付された、中世～近世にわたるデリー近郊の七つの都城遺跡と、それらにまつわる歴史物語を、写真付きで紹介する連載の読み物でした。

《第23信 完》

今は昔、
彼の男(をのこ)、天竺の古城の旅に憧(あくが)れて、諸々の地の古城ををりをりに一つ、二つと訪れてありしが（インド通信【第16信】ラジャースタンの旅の巻など）、天竺に住まひて四度の正月を迎へし折に、同じく独り住まひの朋輩二人と語らひて正月の間日（休日）を用ゐ列車にて古城訪ぬる旅に出で、徳干(デカン)（=DECCAN）高原への出入り口たるジャンシ（JHANSI）近傍のその数締めて九城を訪れんとせし事あり。然るに其の上(かみ)（=当時）古都アヨーディヤー（AYODHYA）の地の寺院を巡る印度教徒・回教徒のいさかひ厳しさを増し、件(くだん)の男三人路半ばにて検非違使所（警察）の警戒網に掛かりて三城を残し六城のみにて引き返せしことありしと、なむ伝へたるとや。

1991年1月11日

日本のみなさま

ニューデリー在 大泉正城

第24信　印度再発見、「特急・世紀号」汽車の旅の巻

—ジャンシJHANSI周辺城塞探訪記—

遠く天竺の都に使いをし、爾来この地で四度の正月を迎え、優雅な単身貴族の生活を送っていたO氏の身辺も最近何かと慌ただしくなってきました。

当デリー事務所も駐在員の交代期を迎え（特に意図せずに、偶々交代期が集中する結果になったもの）、13人の日本人駐在員の内、半分がここ1年ほどの間に代わりつつあります。

そしてどうやらO氏の番も近くなったようなのですが、皆様

とのお約束も果たせていない０氏は最近焦り気味です。「デリー、七つの都の物語」もまだ中途半端ですし……。それに、「印度列車の旅」も材料だけ集めたものの筆の方は中々進んでおらず、約束不履行になっています。

そこで、今回は、多少なりとも印度の列車の匂いのするものをご紹介し、以ってお約束の一部なりとも果たした事にさせて頂きたいと思い、列車を利用した旅に出る事にしたいと思います。

〈第１部〉SHATABDI（世紀号）特急

SHATABDI（世紀号）特急車輛
（ニューデリー駅にて）

車輛（グリーン車）の内部

単身貴族の０氏のお得意様は世界に冠たる印度国鉄（世界第４位の路線と160万人の職員）であり、そのお付き合いの深さから言ったらインド国鉄にはとても足を向けては寝られないのであります。

そこで０氏は感謝の意を表する為に、常々このお得意様にお客様を紹介し、以って印度国鉄の営業収入向上の足しにして頂こうと、獲物を狙っていたのでした。

意外と近くにいました、獲物、いやお得意様の「大切なお客様」は。年頃も、理由も分からず印度にほぼ同時期に居ついた境遇、そして「タンスにゴン」というところまでもそっくりな「貴族」仲間のＦＤ氏とＯＧ氏。

連休はどうする？　デリーでゴロゴロしているのは芸が無いと、あり余る時間との戦いに怯えフラストレーションを見せていた両氏に、Ｏ氏は言葉巧みに近づいたのでした。答えは勿論マル。デリーから外に出て、知らない内に３日間が過ぎてくれれば御の字という不精な「お客様」でしたから、騙して汽車賃を払わせ印度国鉄の運賃収入向上に一役買って貰うことは造作ありませんでした。

季節は「インドが輝く」印度三大祭の一つ、ディワリ（DIWALI）直後。窓から入る風は、暑くもなく寒くもなく、風薫る５月に似た最高のシーズン。（本当デスヨ！　信ジテ！）
連れは……そう「デリーの華の単身トリオ」。
旅は……そう汽車に限る、インドでも。

「連れ」、「乗り物」、「シーズン」、三拍子揃ったのですから言う事無しの旅で、「トリオ・ロス・デリー」の３人は満足して御帰還遊ばしたのですが、今一つ言葉のみでは同僚になかなか信じて貰えないという印度ならではの現実に遭遇したのであります。
そこで、それでは証拠を示そうという事になると共に、今回は、常連の日本の皆様に加えて、常日頃単身者をご家庭でのお食事にお招き頂いているデリーの帯同ご家族の皆様にも、「一宿一飯の恩義」に対するお礼としては誠に細（ささ）やかながら、汽車で行ける観光地をご紹介しようと筆を執った「華の単身トリオ」でございます。

我らの印度国鉄は、世界でも珍しく黒字の国有鉄道で、その原因は鉄道が一番効率よく運営できる石炭／鉄鉱石等のバルキーな（重量があり、かさばった）貨物の長距離輸送を担当しているからです。

赤字の旅客輸送はその分冷や飯を食ってきました。その結果インドでの鉄道の旅は一部特急夜行寝台列車「ラジダニ特急」（特急「首都」号）を除き、せいぜい若者の貧乏旅行のイメージが定着していました。

ところが、2年前頃（1988年）より昼間走る特急である「SHATABDI特急」がデリーを中心に主要都市を結び、その車輌の快適さと速さ、そしてほぼ同時期に主要駅に導入されたコンピューターによる座席予約と切符の入手し易さ（往復ともデリーで予約可能……日本では当たり前なれど印度では画期的な事）で、いよいよ印度も外国人が気軽に汽車旅行を出来る時代になってきました。

こうして、汽車を利用して比較的遠隔地まで行き、そこから車やタクシーを利用して、今ならばまだ余り観光案内書に載っていない場所に簡単に行けるようになったのです。

ところで、デリーには「ニューデリー駅」と「デリー駅」があり、「SHATABDI特急」はニューデリー駅から乗る必要があります。ニューデリー駅には出入り口が線路を挟んで両側にあり、一方を「コンノート・プレース側」、線路を跨ぐ跨線橋を渡った反対側を「レッドフォートRED FORT側」と言います。

この跨線橋、当然人間が渡ることを想定して……と皆様は思い込んでいるのかも知れませんが、さに非ず……今回の旅もこうして始まりました……。

跨線橋の上には牛様がいる事もありますからシッポを踏まぬよう注意して下さいネ。神様も汽車が好きなんでしょうか？牛という乗り物があるのに。いや、もしかすると、ここは神様の駐車場ならぬ、駐牛場かも？

〈第２部〉ジャンシJHANSI周辺の古城の旅

女流旅行写真家のヴァージニア・ファスVIRGINIA FASSという人が撮影した写真集に「インドの城塞」（THE FORTS OF INDIA）という、城の好きな人なら涎（よだれ）の出て来る本があります。

勿論Ｏ氏も城、特に古城の大ファンでありまして、この本を見かけるや直ぐ買い求めました。そして古城の近くに行くチャンスがあるとこの写真集のお世話になり、城の中を歩き回り往時を偲んだり、シャッターポイントを求めて木登りや塀の上によじ登ったりしていました（⇒インド通信【第14信】には、デリーのトゥグルク朝の城壁の上にスックと立つＯ氏の雄姿が写っていましたね？　覚えていますか？）。そう、何しろＯ氏の名前にも「城」が付いている位ですから。

次のページの地図は、この写真集からとったものですが、ご覧の通りジャンシ周辺は文字通り城塞だらけの感があります。

これは、丁度この地域がブンデルカンド「ブンデラ族の土地／BUNDELKHAND」と呼ばれ、西北インドやガンジス中流域からデカン高原への入り口なっているからで、古来デカン高原や南インドを征する際の通り道になっていました。

又、中世から近世にかけては、ラージプート族間の戦、デリー・スルタン政権対ラージプート族、更にはムガール朝期のムガール対ラージプート族対マラータ連合による三つ巴の戦、がこの地を舞台に繰り広げられています。

かくしてＯ氏にとっては、この地は、どうしても探訪してみ

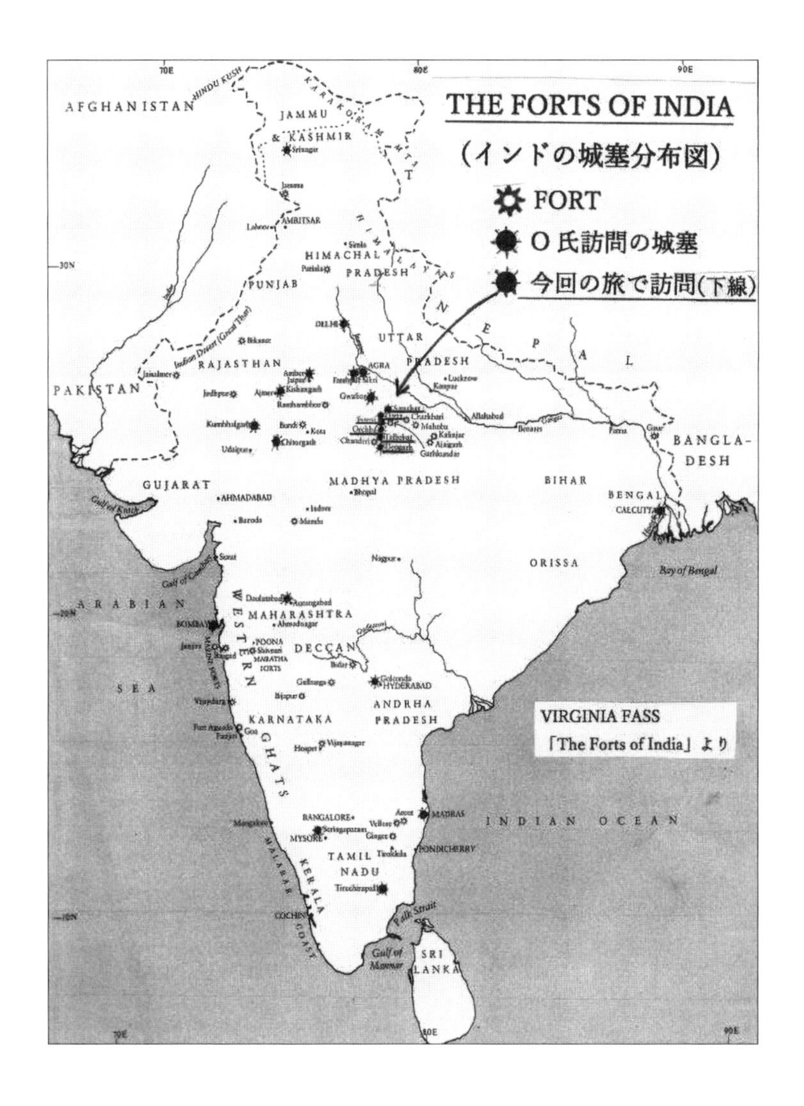
THE FORTS OF INDIA
（インドの城塞分布図）
FORT
O氏訪問の城塞
今回の旅で訪問(下線)
VIRGINIA FASS
「The Forts of India」より
70E
80E
90E
30N
20N
10N
AFGHANISTAN
HINDU KUSH
KARAKORAM MTS
JAMMU & KASHMIR
Srinagar
Jammu
AMRITSAR
Lahore
HIMALAYAS
HIMACHAL PRADESH
Simla
Patiala
PUNJAB
NEPAL
DELHI
UTTAR PRADESH
AGRA
Lucknow
Kanpur
Allahabad
Benares
Patna
Gaur
RAJASTHAN
Bikaner
Jaisalmer
Jodhpur
Amber
Jaipur
Ajmer
Kishangarh
Ranthambhor
Kumbhalgarh
Bundi
Kota
Chitorgarh
Udaipur
Gwalior
Charkhari
Mahoba
Kalinjar
Ajaigarh
Chanderi
Garhkundar
PAKISTAN
BANGLA-DESH
GUJARAT
AHMADABAD
Gulf of Kutch
Baroda
Indore
Mandu
Bhopal
MADHYA PRADESH
BIHAR
BENGAL
CALCUTTA
Surat
Gulf of Cambay
Nagpur
ORISSA
Bay of Bengal
ARABIAN SEA
Daulatabad
Aurangabad
MAHARASHTRA
Ahmadnagar
BOMBAY
POONA
MARATHA FORTS
DECCAN
Bidar
Golconda
HYDERABAD
Gulbarga
Bijapur
WESTERN GHATS
ANDRHA PRADESH
KARNATAKA
Goa
Hospet
Vijayanagar
BANGALORE
MYSORE
Seringapatam
Arcot
MADRAS
Vellore
Gingee
PONDICHERRY
INDIAN OCEAN
TAMIL NADU
Tiruchirapalli
MALABAR COAST
KERALA
COCHIN
Palk Strait
Gulf of Mannar
SRI LANKA

ジャンシ（JHANSI）周辺の城塞
カンプール
KANPUR
グワリオール
GWALIOR
サムタール
SAMTHAR
ダティア
DATIA
ジャンシ
JHANSI
MOTH
SHIVPURI
タルバハット
TALBEHAT
オーチャ
ORCHHA
MAURANIPUR
チャルカーリ
CHARKHARI
バンダ
BANDA
JAITPUR
マホバ
MAHOBA
NOWGONG
CHHATARPUR
カジュラホ
KHAJURAHO
PANNA
TIKAMGARH
GARHKUNDAR
(TIKAMGARH より 22 km)
チャンデリ
CHANDERI
ラリットプール
LALITPUR
デオガル
DEOGARH
SAGAR
今回の訪問地
10/19 SAMTHAR 城（サムタール）
DATIA 城 （ダティア）
10/20 DEOGARH 城（デオガル）
TALBEHAT 城(タルバハット）
10/21 ORCHHA 城 （オーチャ）
JHANSI 城 （ジャンシ）
印で囲んだ城塞は今回訪問を断念した場所。
CHANDERI 城 （チャンデリ）
MAHOBA 城 （マホバ）
CHARKHARI 城 （チャルカーリ）

たいと前々から狙っていたところであり、そこに季節と4連休というカモが「連れと汽車旅行」というネギを背負ってやって来たようなものでした。

10月19日 SAMTHAR城、DATIA城探訪（第1日目）

その日（1990年10月19日）、普段と違い、寝坊もせずに目覚まし時計の鳴る前から遠足の前の小学生よろしく暗い中を勇躍出発した3人は、予定通り特急「世紀号」でジャンシに到着すると、第1日目の目的地に向かいました。

SAMTHAR城

サムタール城はジャンシ＝カンプール街道（国道25号）を北東へカンプール方面に向い、途中MOTHで左に折れて約13㎞行った村の中にある。（ジャンシ＝サムタール間：約90㎞）

城は今でもサムタール家とその従者が住んでおり、往時の結束を維持している。17世紀にダティアDATIA（ジャンシの北30㎞）に都を造営したバグワン・ラオBHAGWAN RAOの統治下で勢力を伸展。

マラータ同盟（※）が勢力を伸ばすと、マラータと同盟関係を結んだが、マラータ同盟が敗退すると英国の勢力下に入り保護を受ける。七層の天守はイタリー人の設計。

※補足「マラータ同盟」：

「マラーター（マラータ族）」はデカン高原西北部のヒン

ドゥー教徒の地主層カースト集団の一つで、デカンのヒンドゥー教国の戦士としてムガール帝国の進出に激しく抵抗し、1674年英雄シヴァージがマラータ王国を建国。
その後、マラータ王国及びその諸侯連合としてマラータ同盟が結成され、ムガール帝国から自立した地方政権となった。英国の進出後は18世紀末～19世紀初めにかけての英国との3次に亘るマラータ戦争に敗れ、同盟は消滅した。

DATIA城

ダティアDATIA城は、ジャンシより国道2号線を北へ30km（グワリオールGWALIORからは国道2号線を南へ70km）行ったところにある。

1620年、アクバル大帝死後の後継者争いの中で、第4代ムガール帝国皇帝となるサリム（後のジャハンギールJEHANGIR帝）を後援したブンデラ・ラージプートの長ビル・シン・デオBIR SINGH DEOにより宮殿を造営。ビル・シン・デオの都は、ジャンシより南へ26kmばかりのオーチャ ORCHHA（後出）。ダティア城の宮殿はラージプートとムガール様式の折中。

1628年ビル・シン・デオの息子が後を継いだが、ムガール帝国第5代皇帝シャージャハンSHAHJAHAN帝（タージマハールを造営した皇帝）に対し反乱を興して敗れ、別の息子であるバグワン・ラオがダティアに都を置き新藩王国を経営。

その後もムガール帝国側についてマラータ同盟と抗争し、マラータ側のグワリオールGWALIOR城のシンディアSCINDIA家とも争う。ムガール帝国が弱体化した後は英国と手を結びマラータ同盟に対抗した。

10月20日 DEOGARH城、TALBEHAT城探訪 (第2日目)

DEOGARH城

ジャンシより国道26号線を南へ92㎞のラリットプールLALITPURにて右方向へ折れて30㎞。インドのアンコールワットとも例えられる。

9～10世紀のジャイナ教(※)の遺跡が崩れた城壁内に30余り散在している。築城は11世紀(一説には9世紀)に遡ると言われているが、城壁は度重なる回教徒の侵入により破壊を受けている。

※補足「ジャイナ教」:
ジャイナ教は、仏陀と同時代のマハーヴィーラ(ヴァルダマーナ)を開祖とし、徹底した苦行・禁欲主義・不殺生をもって知られた。今でも印度国内に数百万人のジャイナ教徒が存在すると言われ、殆どが商業、特に宝石や貴金属を扱う仕事に就くという伝統があり、経済的に大きな影響力を持っている。

城内の寺院

寺院の壁の像

TALBEHAT城

↑岸伝いの侵入を防ぐための城壁

城の築城は1618年。ジャンシより国道26号線を南に30kmばかり行くと、湖に面した城が目を引く。タルバハット城である。(26号を更に南に62kmばかり行くと前出のデオガル城と、後出のチャンデリCHANDERI城への分岐点ラリットプールに至る)

タルバハット城は、インドのジャンヌダルクと言われたジャンシの女王ラクシュミ・バーイと共に1857年インド大反乱（セポイの乱）において英国に抗して戦った藩王マルダン・シンMARDANSINGHの城として有名。

↓前面を湖で守られている

10月21日 ORCHHA城、JHANSI城探訪（第3日目）

ORCHHA城

ジャンシより現国道12Aを南南西に26km。ブンデルカンドの首都として発展したガルクンダールGARHKUNDARが、デリーに都を置いたデリー・スルタン諸王朝の第三王朝であるトルコ系トゥグルクTUGHLAQ朝（1320～1413）により、1347年攻略され破壊された後に、ブンデルカンドの中心地として発展したのがオーチャ。16世紀初ブンデラ族がベトワBETWA河岸に移動し、既存集落を城壁で囲み、河中の島にあった要塞に橋を架けてオーチャの基礎が築かれた。

↓ジャハンギル宮殿

ムガールの勢力が北から押し寄せて来た当初は、ムガールとの戦いもあったが、アクバル大帝の死後の後継者争いの際に、一族より積極的にサリム（後のムガール王朝第四代ジャハンギル帝）を援助したビル・シン・デオが出るに及んで、当主のラム・シンをチャンデリに追い、ビル・シン・デオがオーチャの主人公となった。以後ムガール帝国に与するが、ビル・シン・デオの後継者は、ムガール帝国に反乱を起こし、敗れると共に、ブンデルカンドの中心はビル・シン・デオの別の息子（バグワン・ラオ）の居城であるダティア（ジャンシから北へ30km）に移る。（前出のダティア城に関する説明を併せ参照）

他方、ムガール帝国に与したオーチャはマラータ同盟の攻撃に晒され、ムガール帝国の衰退と共に、1783年ブンデルカンドの首都はオーチャからティカムガル（オーチャの南64㎞）に移り、オーチャは「失われた世界」と化した。

↑ラムジー宮殿

↑ジャハンギル宮殿

JHANSI城

ジャンシ城は「インドのジャンヌ・ダルク」、ジャンシの女王ラクシュミ・バーイの物語であまりにも有名。時は19世紀中葉。イギリスがインドに大植民地建設の最後の総仕上げをやっていた頃。

1853年ジャンシは、藩王ガンガダール・ラオGANGADHAR RAOが直系の相続者を得る前に王妃と養子を残して死んでしまうという不幸に直面します。王妃ラクシュミ・バーイは、英国が養子に藩の相続を認めぬと知るや、1857年折からのインド全域を巻き込んだセポイの乱（シパーヒーの乱、インド大反乱）に、ジャンシ地方の反乱側の団結の象徴として（後には指導者として）立ち上がることになります。

結局反乱側は敗れ、ジャンシの女王も乱戦の最中に戦死し、行方不明となったようですが、民衆に語り伝えられるところでは、「城が落ちる直前に養子を背に馬に乗って城壁から飛び降り、いずことも無く消え、後に又反乱を指揮して戦う彼女を見たものがある」とのこと。

ジャンシ城から100km離れたグワリオール城まで秘密の地下道があり、ラクシュミ・バーイはこの地下道伝いに逃げ去り、グワリオールの反乱軍に合流したとの伝説も残っています。現存する城は1613年築城のもの。

思いの外なる事どもと、ハプニング

ジャンシをほぼその北端とするブンデルカンドは、ガンジス中流域からデカン高原への入り口に当たる、という事は前にも触れましたが、そのイメージ、及び約1年前の11月中旬に同じ地域を逆方向にカジュラホからジャンシへ辿った時には、かなり乾燥した地域という記憶がありました。

その時は、カジュラホから帰りの飛行機がキャンセルされた為、190kmの道のりを名車アンバサダーで沿道のディワリの正月風景を楽しみながら、車の天井に頭をぶつけ、デカン高原の恐竜の背のような丘を眺めつつ、「世紀号」特急に乗らんとして延々とジャンシ駅に駆けつけたのでしたが……。

（⇒インド通信【第12信】参照）

ところが今回は、今年の雨が多い事もあったでしょうが、この地域が緑に覆われ、また人造の堰堤で堰き止めたものとは思われるものの、豊かに水を湛えた湖を沿道に見るにつけ豊かなデカンを実感しました。

城塞探訪を目的とした旅でしたが、意外と水と湖の旅でもありました。この地域の川は全て東北に向かって流れ、「聖なる河」ガンジス河に合流します。湖といっても日本のようにレストランやボート乗り場がある訳でも無く全くの無人でした。折角の観光資源が勿体ない、と思うのはエコノミックアニマルのなせる業、21世紀に生きるインドとしては丁度良いのでしょうか……。

今回事前に計画したものの現地で訪問を断念した場所が3カ所ありました。2日目の10月20日のチャンデリCHANDERI城、3日目の10月21日のマホバMAHOBA城、チャルカーリCHARKHARI城です。

何れも途中までアプローチは試みたのですが、「検問」にひっかかり断念せざるを得ませんでした。
元々O氏は好奇心旺盛で、何でも見てやろうと網羅意識が強いので、遠いところから見て行こうとし、OG氏はこれに疑問を持っていました。

その時は3人共あまり意識していませんでしたが……実は……。

次頁の地図を見てください。

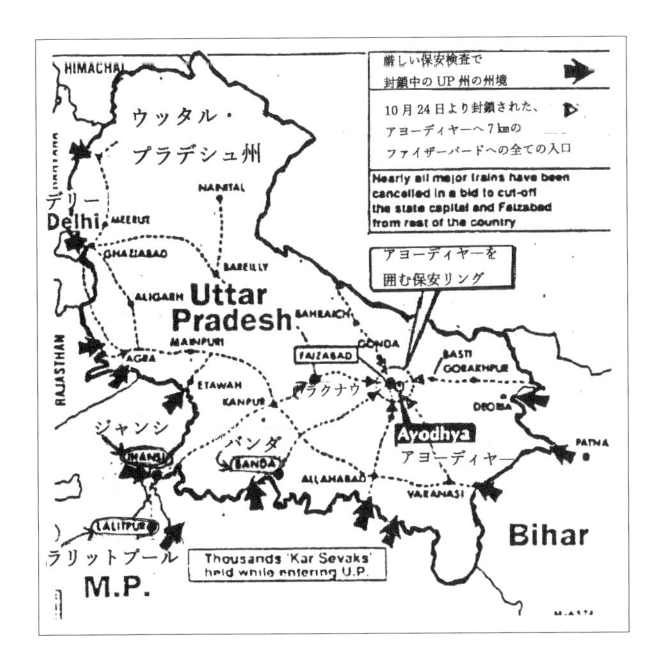

この図で見る通り、実は当時「アヨーディヤーAYODHYAのヒンズー教寺院建立問題」で、ジャンシ周辺は（図の左下）特別警戒地域の一つでした。そこへ迷える羊共3名はノコノコと入り込んでいたのでした。

2日目のチャンデリ城方面は、午後1時になると通行禁止となるとの事で、諦めました。（デオガル城のみで引き返した）

3日目のマホバ城とチャルカーリ城ですが、マホバは州境の警戒ポイントであるバンダBANDAの手前51㎞。知らぬこととはいえ、我々も聖地アヨーディヤーに向かって「行進に参加」していた事になります。

その結果150㎞程の道のりを延々とやって来た挙句、その日の最初の訪問予定地であるチャルカーリ城を前にして20㎞余りの地点で検問に引っかかりました。強行突破とも思いましたが、相手は短機銃を持っており、スゴスゴと引き返しました。

150kmも来て胸の内は無念さで一杯。

その帰り道……。
３日目は何処も見る場所が無くて皆意気消沈していました。
もうジャンシ城のみで良いではないか。いやいや途中でチラッと川向こうに見えた城に行ってみよう……。３人ともそれぞれに自分の考えが正しいと思い黙り込んでいました。でも結局、商社マン特有のダメ元精神と好奇心が勝ち、皆で川向うに行ってみることにしたのです。
結果は「大当り」でした。そうオーチャだったのです。その雄大なそして村落の中に埋もれたロストワールド、滅びの趣を持つ古都……。これだけでその日一日の努力が報われ満足でした。
終わりよければ全て良し。O氏などはオーチャのみを見る為もう一度ジャンシへの旅を実行しようと企画しています。

尚、案外知られていませんが、ジャンシよりカジュラホまで車で４時間ぐらいの距離であり、「通」はカジュラホへジャンシから車で行くとか。

《第24信 完》

注：アヨーディヤーのヒンズー寺院建立問題：
インド北部のウッタルプラデッシュ州の都市アヨーディヤーは、インドのヒンドゥー教徒、回教徒の双方が聖地とみなしています。有名なインドの叙事詩ラーマーヤナの主人公ラーマ王子の生誕地とされ、ヒンドゥー教徒にとっては重要な聖地です。一方、1528年この地にムガール帝国初代皇帝バーブルがイスラム教のモスクを建設し、バーブリー・マスジド（バーブルのモスク）と名づけられたモスクのあったこの地は、回教徒にとっても重要な聖地となっています。
1980年代後半以後、従来の会議派政権に代わって、ヒンドゥー意識の強いインド人民党（BJP）政権が誕生すると共に、ヒンドゥー主義が表面化し、ヒンドゥーの聖地に存在するモスクに対しヒンドゥー至上主義者たちの反感が高まり、1992年12月6日に「世界ヒンドゥー協会」のメンバーが先頭となり多数の暴徒化したヒンドゥー教徒がモスクに押し寄せ、モスクを破壊し倒壊させました。この事件はインド全土に波及し各地で暴動が起こって死者の数は2000人を超えました。
更に、ヒンドゥー至上主義者達は、この地にヒンドゥー寺院の建設を認めるよう当時のインド人民党政府に迫り、度々アヨーディヤーで寺院建設のための大規模な決起集会を開催していました。

今は昔、
天竺人の様様なるふるまひ振りを見るにつけ、得心しうるものも多々ありしが、中になかなかに得心し難きものもあり。彼の男(をのこ)、天竺にてすでに四度の正月を迎へつも、「異(い)なり」と覚ゆる天竺人のふるまひの拠って来たる所以(ゆゑん)に常々興を覚ゆ。天竺の都の暮れ正月は本朝にて想ひはかるよりもはるかに寒きところなるが、然る折にひとり暇をあぐねる男、印度ジンなど飲みつつ天竺人のふるまひの根元に思ひをめぐらすことありしと、なむ伝へたるとや。

1991年1月23日

日本のみなさま

ニューデリー在 大泉正城

第25信 印度ジンを飲むの巻 その①

皆様今日和(こんにちわ)。

日本もようやく本格的な冬になったとか。

寒いですねー、デリーも。カシミールの方では又雪が降っているようで、寒気が「世界の屋根」より下界のデリーの方に押し寄せて来ています。こうして机に向かっていても足元の石の床から冷気が体を包んで来るようです。

それに今年は最初から暗いニュースで……新聞の活字は躍っているものの、湾岸戦争が長期化傾向を見せるにつれジワジワとこの国の基本問題が頭に重くのしかかって来ます。

一体印度はどういう事になるのだろうか？

（O氏は半分以上印度化しているので、日本の事よりも印度の事が心配になります）

　こういう日（晩）には印度ジンでも飲んで体を暖める事にしよう、という訳でO氏も、久し振りに飲みつぶれて寝込んでいるコックのラオに対抗して、印度ジンを飲むことにしました。

ほとんどアルコールを飲まない印度人

　印度人は余り（又は全く）アルコールを飲まず、印度人主催のパーティーに参加してもアルコールが出ず、出席した日本人は場違いな感じがしてモジモジし、早目に退散というのがおおよそのところと言えます。

　（勿論何処にでも例外はありますが）

　では印度のアルコール類というのも全くダメかというと中にはイケルものもあります。印度ジンがそれで、中でも地方で手に入るジンである「マンション・ハウスMANSION HOUSE」や、全国ブランドである「ブルー・リバンドBLUE RIBAND」はイケマス。

（特にO氏はマンション・ハウスの大ファンでして、帰国時にはカルカッタで大量に買い込んで皆様へのお土産にと夢想していたのですが、「幸か不幸か」このところの「湾岸」による出張規制でカルカッタには行けず、胸をなでおろし……アッ！　違った、胸を痛めてオリマス、ハイ）

　もう少しマンション・ハウスをグラスに足して……こういう夜はと……。

　……そう、印度ジンの話だったな……。

エレベーターのボタンを押しまくる印度人

どうして印度ジン、いや印度人は、やたらとエレベーターのボタンを押しまくるのであろうか？

そうなんです。印度人は、エレベーターホールでボタンを見つけるや否や、自分の乗る方向（上、又は下）のボタンばかりでなく、上も下もボタンを押すんです。もしくは、敵とばかりこれでもか/これでもかと何回も何回もボタンを押しまくります。ネクタイをした立派な身なりの印度人もです。

見ている日本ジン、いや日本人は頭にきて、「アンタはどこへ行くの？　上に行くならこのボタン、反対に押すと皆が迷惑するの！」と数回はお説教を試みるのですが、その内に根負けし、更には「どうしてだろう？」と考え込んでしまいます。今までに理解したつもりだった印度人の性癖からするとこの行動はどう理解したら良いのだろうか？

これがこの数カ月間、O氏の頭を悩ました印度ジン問題でした。「ファイル」、つまり案件が動かない理由は見つけるのは簡単ですが、この方はその理由に思い当たるまで長い間かかりました。

自己中心思想??　の印度人

車がパンクしたら交差点だろうと道の真ん中だろうとお構いなし。車を停めて、交通渋滞などは何のその、トランクを開けて予備タイヤを出して修理を始める方は序の口。かなりのケースが車をそこに放って、何処かへ行ってしまうのです。エェーッ？　と言っても本当なんです。

それに踏切。車、自転車、馬車、みんなで押し寄せるのです、踏切の遮断機のバーのところに。牛様までも……。

印度ジン、自転車、バイクは既に降りている遮断機をくぐってゾロゾロと渡り続けます。車は道巾一杯に詰まってしまいます。反対車線？　そんなものお構いなしです。どうするんでしょう？　後は。動くに動けぬだろうに……。

アッ、そうか！　こっち側がこれだと、当然踏切の反対側でも同じ状態の筈。これは困ったぞ……。

それにしても何とアホな。かえって動けず混雑して遅くなるのに、分からないのかなー。これが日本ジン。印度ジンの方は、毎回、何処でも踏切で同じ現象が発生。どうして秩序が出来ないのだろうか？　何処でもそうだ、この割込み精神。

パンクと踏切は「自己中心思想」で何とか理解できるのだが、エレベーターのボタン問題は「自己中心思想」とも違うようだ……。うーむ……。

皆さん、どうです？　答えは見つかりましたか？

では又、答えはこの次のインド通信で。

付録：
「デリー、七つの都の物語」第五話
（フィロザバードFIROZABADの物語）
※「デリー、七つの都の物語」は、当時「インド通信」にオマケとして添付された、中世〜近世にわたるデリー近郊の七つの都城遺跡と、それらにまつわる歴史物語を、写真付きで紹介する連載の読み物でした。

《第25信 完》

今は昔、
天竺を越え更に西の方、回教を国是とする国々あまたあり。内の一強国たる伊拉克の軍勢同じく回教の弱小国たる科威特に侵入せし五カ月後、即ち辛未（平成三年、一九九一年）睦月十七日、かかる侵入を良しとせぬ米国主導の多国籍軍によるイラク空爆にて始まりし「湾岸戦争」、この戦に対する天竺人の反応には、おろしゃの仕掛けし烏克蘭侵略に向かふそれと同じく、本朝の雰囲気とはまた異なるものありて、彼の男、印度ジンを飲みつつ天竺人の多様性と世界の広さに想ひ致せしことありと、なむ伝へたるとや。

1991年1月28日

日本のみなさま

ニューデリー在 大泉正城

第26信　印度ジンを飲むの巻 その②

皆様　又今日和。

この間インド通信【第25信】をお送りしてからまだ1週間にもなっていませんが、こっちにも一寸事情がありまして、お許し下さい。

『デリー市の天気』
1月27日（日）
最高気温29.7℃
（平年より8℃高い）
最低気温11.6℃
（平年より4℃高い）

暑いデスネー、デリーは。エッ？　この間は寒いと言った？　そうなんデス。理解が難しいデスネー、印度は。昨日まではL/Cは大丈夫と言ったのに、今日は……。

そう、お天気の方は毎日晴天の青空（つまり「青天」）なのですが、分からないのは、気温とL/Cということになっておりまして……。

どうなっているんでしょうか？　印度は。

でもまあ、この暑さは一時的なもので、また直ぐ寒さが戻るそうです。同様にL/Cも元に戻る筈です。「一寸」時間さえ置けば……幸い、食糧生産は豊作のようで、「湾岸戦争」さえ片付けば……。片付きますかね〜、湾岸は？「湾岸」が残ってしまってもナンですから、印度ジンで割って飲んでみますか？

エッ？　悪酔いするからやめた方が良い？

そう、やはり「湾岸の印度ジン割」はいかにも悪酔いしそうなカクテルですかネー。

横道☞☞☞☞☞

そうそう、あの、皆様の「人気者」の、コックのラオは、飲んでいたのはホンノわずか（と本人は申してオリマス）でして、寝込んでいたのは風邪のせいであることが分かりました。飲んで暑くなり、毛布をケトバシ（臍（へそ）を出して？）、寝込んでしまい風邪を引いたのだそうです。

１〜２日冴えない顔つきをしていましたが、カレンダーをあげた時のニンマリした表情からするとほぼ治ったようです。ご心配をおかけしてオリマス。

日本もそうでしたでしょうが、ご当地も湾岸問題の初めの頃は仕事をしていても何となく落ち着かず、寄ると触るとニュースの交換でした。

その内に１週間過ぎ、湾岸も膠着状態に陥りそうだ、ということになると、一体印度人はこの問題をどう考えているのだろうか？　というのが気になって来ました。

アメリカ人はインドからの退避を勧告

1月26日には、米国（人）に対する印度（人）の反応を危惧して、「米国人はインドを去るように」との、米国務省の在印米国人に対するアドバイスが新聞に出ました。

日本の救助活動第二次大戦後初

又同じ1月26日（土）には、日本の救助活動も「第二次世界大戦以来初めてのこの種の活動……」と報道され、注目を浴びる存在となり始めました。

そういうところに、タイミング良く「THE TIMES OF INDIA」（インドの朝日新聞のようなもの）によるデリー地区での世論調査の結果が発表されましたので（1月28日朝刊）、お届けしたいと思います。（記事の翻訳は添付資料を参照）

Delhiites blame Saddam Hussein for war

A MAJORITY of the people of Delhi blame the Iraqi president, Mr Saddam Hussein, for the Gulf war and believe that he should withdraw from Kuwait. Although more divided in supporting the U.S.-led intervention, they reject the Iraqi attempt to link the Kuwait and Palestinian issues.

Significantly, the Muslims of Delhi do not share these views and are more inclined to sympathise with the Iraqi position.

These are the conclusions of a *Times - MODE Research opinion poll* conducted in Delhi. A total of 352 people spread over 19 localities and constituting a representative cross-section were interviewed last Thursday and Friday.

Nearer home, the people of Delhi feel that the foreign policy of the Chandra Shekhar government is ineffective. The government, they believe, has been pursuing neutrality whereas it should be actively promoting peace.

The residents of Delhi fear a prolonged war with a resulting price rise and shortages. This would explain the panic buying and hoarding of essential commodities that is being witnessed.

▶ 51% hold Mr Saddam Hussein responsible for the Gulf war; 26% pin responsibility on the US-led allied forces; 20% feel that both sides are to blame.

▶ 50% approve of the allied intervention; 44% disapprove.

▶ 64% support an Iraqi withdrawal from Kuwait.

▶ 31% want withdrawal linked to the Palestinian issue; 47% oppose it.

▶ 68% feel it will be a prolonged war, lasting over a month.

▶ 37% predict an allied victory; 35% feel there will be no winners in the war. Only 9% believe there will be an Iraqi victory.

▶ 47% believe India is neutral; 44% argue that it is actively promoting peace.

▶ 24% feel that neutrality is the right course for India; 65% want the government to actively promote peace.

▶ 55% feel that the Indian foreign policy in the Gulf has been ineffective.

▶ 95% feel that price rise and shortages are the consequences of the war.

MUSLIMS' VIEW

The opinion poll revealed that the Muslims of Delhi have a very different perception of the Gulf conflict.

● 74% of Muslims believe that the U.S.-led alliance is responsible for the outbreak of war; 14% blame Iraq while 12% say both sides are to blame.

● 51% of Muslims feel the conflict will result in an Iraqi victory; 34% believe that the U.S. will emerge victorious while only 5% see an inconclusive result.

● 54% of Muslims disagree with the suggestion that Iraq should withdraw from Kuwait; 42% favour its withdrawal.

● 69% of Muslims are in favour of linking any withdrawal from Kuwait to the issue of Palestine.

● A significant minority of Muslims – 21% – feel that India should support Iraq in the conflict. 50% favour it promoting peace actively while 27% advocate neutrality.

● A curious feature of the poll is that 45% of Muslims approve of the allied hostilities against Iraq while 49% disapprove of it. A possible explanation for this narrow difference is that Muslims favour a conclusive resolution of the conflict.

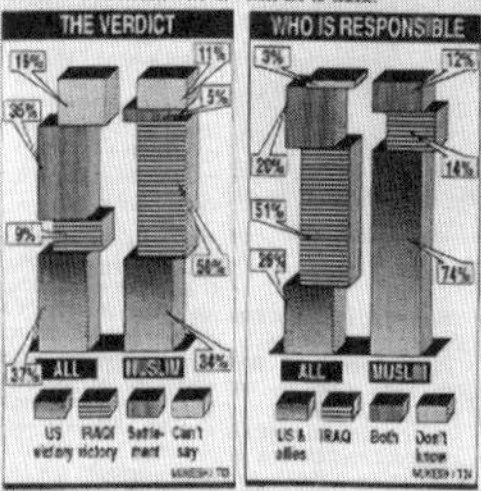

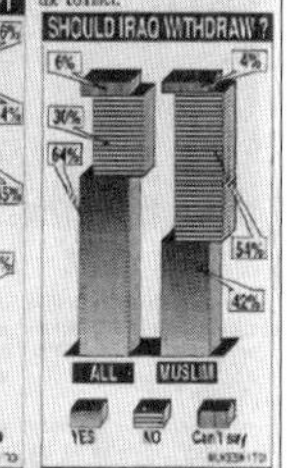

結果は、やはり現地職員との会話を通じて、「一寸考え方が異なるようだなー」と感じていたのが、この世論調査で裏打ちされたようです。やはり「世界は広いなあー」ということを改めて実感しました。

全体では、「イラクに責任があり、米国を支持する」というのが半分を占める一方で、多国籍軍側に問題があるとする者も1/4はおり、又米国を支持しない者は約半分居て、結果として中立と平和推進派が大部分を占めています。

特徴あるのは、回教徒の考え方であり、全く異なった様相を示しています。比較的様々な立場のニュースや意見に接するチャンスのある印度の回教徒にしてすらこのように違った考え方をしているとすれば、回教国の回教徒の立場はもっと複雑かな？　と想像されます。

更に、この様に宗教で明確に違った立場が現れてくるグループを内に抱え、印度のコミュナル問題の困難さもひしひしと感じられます。

酔いが醒めてしまったなー、もう。
印度ジンのお湯割りでもやってみるかー？　もう一杯……。
ウーン、効くなー、これは。印度人は、お湯には入らぬからなー。目が回ってきたぞ。

これ、これ！　この記事。
まさに印度ジンのユニークな「香り」、
ゼロを発見する人達はやはりどこか違う……。

何も首相まで……真面目なのだろうか？

動物の力を活用して電気を
ハルヤナ州ブバネシュワリ発
1月15日

PM sees demonstration

Electricity from animal power

HT Correspondent

BHUVANESHWARI (Haryana) Jan. 15

Prime Minister Chandra Shekhar said today that rationing and hike in petroleum products would depend on the ongoing developments in the Gulf.

Talking to newsmen soon after a demonstration of harnessing animal power for generation of electricity at the Bharat Yatra Kendra here, Mr Chandra Shekhar said India was keen that the present Gulf crisis be averted.

Mr Shekhar admitted that a war in the Gulf would have far-reaching effects on India. The problems facing the nation would be further aggravated if military action between Iraq and European force was not averted.

Earlier, Mr Chandra Shekhar witnessed a demonstration of a new prototype developed by the National Institute for Training in Industrial Engineering (NITIE), Bombay, for harnessing animal power for generation of electricity.

Prominent among those present were Energy Minister Kalyan Singh Kalvi, Bharatiya Janata Party MP, Dr J. K. Jain, social activist Nanaji Deshmukh and the NITIE Director, Dr S. Ramani.

With the use of the prototype, mechanical energy was converted to electrical energy. Two bullocks attached to the prototype went around continuously for some hours. The energy produced was stored in a battery. About three hours of the bullocks going around the prototype produced enough power to operate a few household gadgets for about five hours.

Mr Deshmukh said that about eight years ago he had tried out the same project but owing to technical difficulties was unable to carry it through.

Dr Ramani said India has an estimated 120 million draught animals of which 80 million were in use. These animals were used about 60 to 100 days in the year and remained idle for the remaining time. With the use of the prototype these animals could help produce energy.

印度国産思想の原点がここにあるという感じ。ガンジーも糸車を回したが……。

しかも、1月15日というのは産油国「湾岸の日」だった筈だが。やはり「先見の明」なのかなー。頭が混乱するワイ。

印度ジンに呑まれたかなー？　ん？　前回のインド通信の答え？　何故印度人はエレベーターのボタンをやたらに押すか？

次！　次！　次のインド通信で。又ね！

（どうもO氏は印度ジンの飲み過ぎで頭が混乱しているようなので、回答は次回とします）

付録：

「デリー、七つの都の物語（第五話と第六話の間で）」

※「デリー、七つの都の物語」は、当時「インド通信」にオマケとして添付された、中世～近世にわたるデリー近郊の七つの都城遺跡と、それらにまつわる歴史物語を、写真付きで紹介する連載の読み物でした。

《第26信 完》

附 参考資料：
「湾岸戦争に対するデリー人の反応」アンケート記事翻訳

「デリー人は、戦争の責任はサダム・フセインにありとしている」

デリーの人びとの過半数は湾岸戦争の責任はイラク大統領のサダム・フセインにあるとし、彼はクウェートから撤退すべしと信じている。

米国主導の介入を支持するか否かについては意見がもっと分かれているが、クウェートとパレスティナ問題を結びつけようとするイラクの思惑については拒否している。特にデリーの回教徒は、これらとは意見を異にしイラクの立場に同情的傾向である。

これらはデリーで行われたTIMES－MODE RESEARCHの世論調査の結果である。19の地域に広がる、代表的な断面（サンプル）を構成する352人を先週の木曜日と金曜日に面接している。

国内に戻って、デリーの人々は、チャンドラ・シェカールCHANDRA SHEKHAL政府の外交政策は効果的ではないと思っている。彼らは、政府は中立性を求めているが、政府は積極的に平和を推進すべき、と考えている。

デリーの住民は、戦争が長引けば物価上昇と物不足になる事を恐れている。これは今見られるパニック買いや必需品の買い占めを説明している。

全体では：

〈誰に責任があるのか　⇒グラフ “WHO IS RESPONSIBLE”〉:

▶51％は湾岸戦争に対してサダム・フセインに責任があるとしており、26％は米国主導の多国籍軍、20％は両方の責任、としている。

〈米国支持　⇒グラフ “US SUPPORT”〉

▶ 50%は多国籍軍介入支持で、44%は不支持。

〈イラクは撤退すべきか？

⇒グラフ “SHOULD IRAQ WITHDRAW?〉

▶ 64%はクウェートからのイラクの撤退を支持。

▶ 38%はパレスティナ問題と絡ませての撤退を希望。47%は反対。

〈決着予想　⇒グラフ “THE VERDICT”〉

▶ 68%は1カ月以上続く長期戦となるだろうと感じている。

▶ 37%は多国籍軍の勝利を予想。35%はこの戦争において勝利者はいないだろうと感じている。9%のみがイラクの勝利を信じている。

〈インド政府の立場　⇒グラフ “STAND OF INDIAN GOVT”〉

▶ 了解しているインド政府の立場としては、47%が政府は中立と信じ、44%が政府は平和を推進しているとしている。

▶ 支持するインド政府の政策としては、24%が中立はインドにとって正しい進路とし、65%が政府は積極的に平和を推進して欲しいとしている。

〈その他（グラフ無し）〉

▶ 55%は湾岸戦争におけるインドの外交政策は有効ではないとしている。

▶ 95%は物価の上昇と物不足は湾岸戦争の結果であると感じている。

回教徒の意見

世論調査は、デリーの回教徒は湾岸紛争を非常に異なった感覚で見ている事を明らかにした。

〈誰に責任があるのか ⇒グラフ“WHO IS RESPONSIBLE”〉:
●回教徒の74%は米国主導の多国籍軍は戦争の勃発に責任があるとし、12%は両者が非難さるべきとする一方で14%はイラクを非難している。
〈決着予想 ⇒グラフ“THE VERDICT”〉
●回教徒の50%は紛争はイラクの勝利で終わるとし、わずか5%が決着つかずとする一方で、34%は米国が勝利者となるとしている。
〈イラクは撤退すべきか?
⇒グラフ“SHOULD IRAQ WITHDRAW?〉
●54%の回教徒はイラクはクウェートから撤退すべきという勧めに同意せず、42%はイラクの撤退に好意的である。
●69%の回教徒はクウェートからの撤退をパレスティナ問題と結びつけることに好意的である。
〈インド政府の立場 ⇒グラフ“STAND OF INDIAN GOVT”〉
●回教徒のかなり多い少数派が紛争においてインドはイラクを支持すべきとし、50%はインドが和平行動を推進することを良しとし、27%が中立を主張している。
〈その他(グラフ無し)〉
●世論調査に現れた興味ある特色は、45%の回教徒がイラクに対して連帯した反対を認めている一方で、49%は認めていない。
賛否の差が少ない事に対する可能な説明としては、回教徒は紛争に対する決定的決意を好しとしているという事である。

今は昔、
仏の生まれし天竺の地にてひたすら（？）修行を積みつつありし彼の男（をのこ）、天竺に至りて三歳（みとせ）と半ばを過ぎたりし頃、印度ジンを飲みつつ瞑想のさなか、つひに御赦免状いづとの報に接し、もはやこれまでと時の足りぬを悟りて、かねてより本朝人に問ひかけし「天竺大学入試問題第一問：天竺人の奇癖その一」すなはち、何故天竺人は昇降機（エレベーター）の釦（ボタン）をしたたかに力に任せて押しゐるのか？ の模範解答をつひに明かすに至れりと、なむ伝へたるとや。

1991年2月5日

日本のみなさま

ニューデリー在 大泉正城

第27信 印度ジンを飲むの巻 その③

いやあー参ったなー、もう。

印度ジンを飲んで寄り道したり、横丁に入り込んだりしている間に、丁度満3年と半年…………。

O氏が西方浄土に修行の旅に出たのは、1987年8月6日の事でありましたが、その昔に多くの留学僧が長安の都のきらびやかさに目を奪われたのと同様、その後輩たる一修行生のO氏は、天竺の都で印度ジンを飲もうとして、印度人に呑まれていたのでありました。

終に出ました帰国の辞令

皆様今日和（こんにちわ）。

とうとう出てしまいました、帰国の命が。
「インド通信」廃刊のご挨拶とどちらが早いか最近は競争していたつもりでしたが、とうとうご挨拶の方が間に合わず、先を越されてしまいました。
面目なし。
そこで、ここまで来たからには、この「暇つぶし文」(とは、あの天竺修行の先達、ＨＤ先輩の言でした)を御赦免船の出帆する日まで書きまくって、最後はご挨拶無しの野垂れ死というのがふさわしいだろうと覚悟を決め、もう１本印度ジンを空けて飲むことと致したく……ご迷惑も顧みず。

天竺大学入試問題第１問回答

そろそろ出しましょう、天竺大学入試問題第１問の回答を。

問：何故印度人はエレベーターのボタンを押しまくるのか？

答：自動販売機と間違え、押したらカレーが出て来ることを期待している。

ブッブー！　印度人＝カレーの図式は発想の貧困さを物語ると共に、印度には間違えるほどの自動販売機が今のところありませんし、空港の隅に置いてあるコーヒーの自動販売機の脇には必ず人が付いています。お客は、コインを機械の付添人に渡し、付添人が機械にコインを入れます。紙幣を出して断わられ、「??」と思うようでは、印度修行期間不足のあなたです。

??あなたは見た？　インドの空港で？　「付添人のついていない」コーヒーの自動販売機を？　そ〜お？　それは壊れていたのですね、機械が。よくあることです。

正解！

そうです。信用していないのです。印度人は。
お互いの間のみでなく、機械をも。
何と！　待っている人をそっちのけにして通過してしまう事があるのです。エレベーターが。そこで待っている方もそれに対抗して、コンニャロメ停止しないと只では済まぬぞ！　と気迫を込めて押しまくるわけです。何回か通過されて、分かってきました、O氏にもこの心理が。修行のタマモノです。

では、それほどインドの機械には不良が発生しやすいのか？　というと、印度産品の拡販に熱をあげているO氏にとっては、これは機械の問題ではなく、（印度）ジンの問題であるとして、印度を擁護する方に回るのであります。
即ち、エレベーターにも乗っています、付添人が。
多くは妙齢の女性……ではなくて、なんとなくダラダラ、ピシッとしていない、オジサン達です。この連中が自分の「判断」でエレベーターを運行してしまう事が多いのです。かくして気が向いた階、乗っている連中が指示した階にしか停めず、ところどころ通過ボタンで通過してしまうのです。
頭に来ますね～、待っている方は。
押したくなりますね～、上だろうと、下だろうと、ボタンを。
ともかく停めて、乗り込んで、今まで下に向かっていようとも、脅迫して、自分の目的の階に向かって「UP！ UP！」と叫びたくなりますよ、もう。

よく考えてみれば、これも社会が均質の人間で構成されていない為、他人の行動や考え方が自分の期待する範囲に入ってこないので、無意識に取っている防御の姿勢ではないかと思われます。そういう意味では、エレベーターのボタン騒動も、広い意味での唯我独尊思想の結果かも知れません。

「他人の行動や考え方が自分の期待の範囲に入ってこない」社会というのは、高度の分業に依存している近代社会では、非常に困ったことになります。

少なくともそういう近代社会の中で育った者にとってはイライラと不満が蓄積される事になります。

天竺大学入試問題第2問回答

実は、印度の社会が、「期待の範囲に入ってこない」という「非公差社会」でありながら、お互いの問題をどういうやり方で調整しているのかという点は、天竺大学印度ジン講座の核心でもありますので、一寸置いて、天竺大学入試問題の第2問を先ず片付けましょう。

問：飛行機で目立つ印度人の奇癖を列挙せよ。
但し、我が同胞の奇癖は棚に上げるものとする。
又、印度人の一挙手一投足全てが奇癖なりという類の答えは、同情の余地はあれど、ペケ（×）印なり。

答：①印度国内線における印度人同士の競争の癖抜けやらず、乗る時も降りる時も、先ず印度人が先に出る。（序の口デス）

②頭上の手荷物棚に、明らかに無理と分かる筈なのに大きなアタッシュケースを縦にしたり横にしたりして押し込もうとし、あまつさえ人の荷物を別のところに移して自分の場所を確保しようとする。（ひねくり回した揚句、収まり切らぬのを冷ややかに眺め、心の中で喝采を叫ぶ狭心の日本人がいるのは甚だ残念デス）

③人の席に居座りを決め込み、指摘されると、お前あっちの席が空いているからあっちへ行けと余計な指図をする。（何を言おうと、「これはオイラの席だ、THIS IS MY SEAT」をテープレコーダーのように繰り返す狭心の日本人がいるのは甚だ残念デス）

④人の席に配られている新聞を断りなしに持って行ってしまう。又人が読み終わるか終わらぬ内に早く読めと催促する。（読み終わり、不要になっても鞄の中に仕舞い込んでしまう狭心の日本人がいることは甚だ残念デス）

⑤ボタンを押し、やたらとスチュワーデスを呼ぶ。（適当に聞き流し放って置くベテランスチュワーデスを見ると、頼もしくなるという狭心の日本人がいるのは甚だ残念デス）

⑥子供がウロチョロ騒ぎまわるのに甘い。（親と思われる印度人の前でわざと子供を叱り、子供の社会教育の為に良いことをしたと思い込んでいる狭心の日本人がいるのは甚だ残念デス）

⑦トイレを汚しに汚す。（アー、お手上げデス。トイレの掃除を他人にやらせるという階級社会が消滅し、自分で掃除するようになるまで駄目でしょう）

無くて七癖……ありますねー。
ところで、貴男/貴女はどうですか？

次回は入試を突破した皆様に、印度ジン「特級」である、「銘酒 GENBA」を贈りますネ。

間もなくご当地にも最近の若者（？）には珍しく、天竺での修行を志した「弟弟子（おとうとでし）」が現れる筈です。印度ジンともども大いに歓迎し、早く得度を得させたいものと願っています。

尚、この地で体験修行をする必要があると常々言われている、未だ生臭坊主の域を出ていない諸兄、中でもＳＺ坊、機会は今ですぞ。

では又。西の彼方より。

付録：

「デリー、七つの都の物語」第六話

（PURANA QILA〈OLD FORT〉の物語）

※「デリー、七つの都の物語」は、当時「インド通信」にオマケとして添付された、中世～近世にわたるデリー近郊の七つの都城遺跡と、それらにまつわる歴史物語を、写真付きで紹介する連載の読み物でした。

《第27信 完》

今は昔、
辛未この年（平成三年、一九九一年）、をちこち異朝を訪へば、睦月十七日多国籍軍イラク空爆開始、皐月二十一日天竺去去年の選挙に敗れ下野せし元首相ラジブ・ガンディー氏暗殺、年の瀬師走も二十六日に至りて蘇連邦（ソ連邦）つひに崩壊せり。かへりて本朝を窺ふに、四月都庁新宿へ店替、五月ジュリアナ東京店開き、六月雲仙普賢岳大火砕流いでく。世相かくある中、如月十一日代はりなる修行僧本朝より天竺の都徳里（デリー）に至れり。彼の男（をのこ）、三歳（みとせ）と半ばの天竺暮しを終へるに当たりて、天竺社会を色濃く彩る「非公差社会」なるものにつき、印度ジンを呑みつつかく語り、おもひ綴（つづ）り、天竺徳里を後にすと、なむ伝へたるとや。

1991年2月16日

日本のみなさま

ニューデリー在 大泉正城

第28信　印度ジンを飲むの巻 その④

「嵐を呼ぶ男」登場！

皆様、ご注進！　ご注進！

今度の天竺修行僧はやりますよ！　早速「インド人しています」よ。エレベーターホールで、もうボタンを押しまくっていましたよ。やりますねー。

使用人が傍らにいると、慣れない間は気になるものですが、来る早々、適当に無関心を装い、空気と同じように扱うコツを心得ていることを示していました。先が楽しみですねー。

この修行僧の天竺入りの日、天竺の神々も嘉（よみ）したのか、この時期には珍しい雨が降り、更に夕方には空がにわかに真っ暗になったと思いきや、10～15分間ほど直径20㎜～30㎜位の雹（ひょう）まで降り、一時地面が真っ白になりました。我がデリー事務所は、窓ガラスと窓枠の間から水漏れがした程度の被害でしたが、輸出入銀行の事務所では大きな窓ガラスが割れ、道路にはフロントガラスをやられた乗用車も止まっていました。「嵐を呼ぶ男」の登場です。

もっとも、交差点では、停まった車の中で「アッチへ行ってくれ」とつい手を動かして、却って乞食を呼び寄せてしまい閉口していたようでしたが。

ともかく劇的な登場ぶりでした。

「印度ジン」の味も少しずつ味わって貰っています。

一度に急に飲み過ぎると悪酔いしかねないので、チビチビやって貰っていますが……。

大学印度ジン講座「非公差社会を生きる」

さて、今回は天竺大学の入試を突破された貴方を待つ大学印度ジン講座、「非公差社会を生きる」であります。

「非公差社会」というのは、他人の行動やその結果が、期待の範囲（＝公差の範囲）に入ってこない社会を意味する、「講座用語」です。

唯我独尊思想の横行しているインドがその典型ですが、他人という鏡に映った自分を見て行動基準を決めている日本の社会は、その対極にある「公差社会」ということになりましょうか。どう？　格調高い？

話は変わって……。

インドで工事現場を見ていると、色々と面白い事に出くわします。その工事の結果として、階段の高さがそろわず、後日階段の高さの違いから階段で蹴っつまずく、というのは序の口です。次から次へと来る各種職人、作業者は、工事の目的とか全体の事などは全く意に介さず、自分の作業が完成しさえすれば、周囲が汚れようが壊れようがお構いなしという有様で、見ている方は作業の質の悪さにビックリし、嘆きの過程を経たのち、「唯我思想」に尊敬の念まで抱いてしまうようになります。(印度ジンに酔い始めるわけです)

ビルの躯体工事の方は、それでも、多少のデコボコや寸法の狂いがあろうとも、肩に工事の資材を担いだ連中が資材を壁にぶち当てて、折角塗装した壁を壊そうが、社会全体の「いい加減さ」の中に埋没して（文句をつけるだけ無駄という気になり、⇒自分も壁のシミの一つと化す）しまうものの、内装工事の方は、自分達の居場所に直接関係するものだけに、「いい加減さ」がつい頭に来るようになって来ます。その結果、公差社会人間のO氏と非公差社会人間の間での摩擦が発生し、あれこれと刺激を受け、インド通信の材料が次々と現れ、O氏は、もう、「来た！　来た！」とゾクゾクしてしまいます。

時は今から1年～1年半程前（1989年～1990年頃）の事。

O氏の属するデリー事務所も新築内装工事をやっており、O氏はボランティアで事務所の総務を手伝って工事を時々監督したり、ビルのオーナー側や不動産業者と種々交渉やケンカをやっていました。

その1 手造りであること：

或る日工事現場に行って見ると、懐かしいカンナの音がしていました。見ると事務所（予定）の一角に大工仕事の現場、というより小さな木工場ができて、そこで職人がせっせと木を削ったりデコラ板を貼り付けたりしています。

造りつけの戸棚やドアを作るのに製品を工場から運んで来るのではなく、現場で寸法取りし、現場で全くの手造りでやっていたのです。昔の日本の木造一軒家を作るのと似ています。その時は、これぞ手造りの味、だけど高くつくのではないかな？位の印象でした。

その２ 備品・什器は木製である事：

机・椅子・サイドロッカーも木製の手造り品です。スチール製も出始めていますが、安物の感を否めず、又油が切れてキーキー音をたてたり引出しが落ちたりする為主流にはなっていません。

手造り品ですから、規格品という制限から解放されるせいか、「自由に」デザインをしてしまい、机の袖が右にあったり、左にあったり、職員の身分役職により机の大きさを自由に変えてみたり、サイドロッカーも各種作ってみたりしてしまいます。

一見非常に自由“FLEXIBLE”なのですが、事務所ができる時の条件で設計・製造してしまうため、却って固定化しており、事務所の模様替えや職員の昇格という変化に対応するのが困難になってしまいます。

又同じデザインでも、寸法を簡単にいじる為、別の机を持って来ると、収まるべきところに収まらないという事態も発生します。一応図面があり、承認している為、図面を取り出し文句を言うと、何と！　図面よりも「現場の状況」を優先していた事が分かり、ビックリしてしまいます。

例：現場の状況が、同じ寸法の机を３つ並べるのに合わないと（本来現場はある一定の寸法で出来上がっている「筈」なのですが、これが予定された寸法に出来上がっていない事がしばしばあります)、一つの机を「自分の判断で」特別寸法に作って辻褄(つじつま)を合わせてしまう為、この机を別の場所に持っていくとおかしな事になってしまう訳です。

その３ 怪談「アルミ窓サッシ」:

北インドでは、５月は「ダスト・シーズン」と呼ばれ、強風と共に土埃が舞い上がり、建物の中に侵入して来ます。この為部屋中が埃だらけとなり、床は勿論の事、机の上もザラザラしてしまいます。又夏期のエアコンの効率をあげる為には外の熱気が入り込まぬようにする必要があります。そこで、条件の悪い外界を閉め出し、せめて内部の環境だけでも良くしようとした場合、「公差社会人」は窓にアルミサッシを採用し、密閉できるようにしようと考えます。念のため窓枠のサンプルも取り寄せ、量産の有無も確かめて発注するのですが、やはり非公差社会、期待した通りにはなかなか問屋が卸しません。実にインドらしい数々の問題が発生します。

①金属ですから、予め寸法通りにカットしたプレファブの窓枠があって、現場で組み立ててピシッと出来上がると公差社会人は思うのですが……。

②まず窓枠を嵌め込むビル側の寸法（工事）が図面通り出来ておらず、各部分により寸法が色々です。

③そこは当地の窓枠屋ですから、ビル側の寸法の出来上がり具合などは最初から信用しておらず、これ又現場でアルミの型材を切って窓枠を作り寸法の辻褄(つじつま)を合わせようとします。

④ただ、素材が比較的自由に加工できる木ではなく、金属で

あるのがモンダイです。現場でどんなに注意を払っても手造りで正確なものが出来る筈がありません。

⑤その上、現場で実際に作業をやる人達は、そもそもピシッとした事に価値を認めるような感性を持った人達ではありませんから、1～2㎝寸法が足りなくても全く意に介しません。（アルミで1～2㎝ですよ）

⑥どうしてお互いが、図面の寸法の公差範囲内に収めるようにしないのだろうか？　……。非公差社会の人達の答えは……胸を張って、「NO PROBLEM（問題なし）」です。後日大雨が降ったり強風が吹いたりして、POBLEMが発生しない限り、自分からPROBLEMを認めることはありません。

どうしてなんでしょうか？

こういう社会では、彼等同士の問題はどの様に調整しているのでしょうか？　そう、どうしてなんでしょうねー。

どうするんでしょうねー。

インド亜大陸の地酒、「銘酒GENBA（現場）」でも飲んで頭を柔らかくして考えてみましょう

非公差社会にもPROBLEM（問題）は存在します。

同じ非公差社会人同士でケンケンゴウゴウの議論をしているのがその証拠です。

即ち、事態が喉元にある時です。ところが、GENBAが喉元を過ぎ胃に入ると、酔いが回るせいか、PROBLEMが消えてしまうのです。

1「現場」志向にならざるを得ない事

異質の人間よりなる社会で、更に生存条件が厳しい社会では、

他人の行動やその結果が予想し難く、期待の範囲に入り難い為、どうしても非公差社会になってしまいます。

この場合、「現場」（時間的現場である現在と、空間的現場の双方）を離れた事を実生活の中で色々予想/期待しても結局無駄に終わることが多く、別の場面（時間的別の場面である未来と空間的別の場面）を考えて手を打つ発想が出て来なくなり、「現場」のみを対象とした発想で良しとすることになってしまいます。

2 調整作業は現場に対してのみとなること

従って、こういう社会では、現場で現実に問題が発生し、万人が問題の存在の認識を強制された時に初めて現実の調整作業が、「効果」の出る現場に対してのみ行われることになります。現場の問題ですから、現実に押されて共通の認識が成立し易く、議論の余地も少なく、調整作業が進むことになる訳です。

3 反動としての抽象志向

実生活の面では「現場」志向である一方で、印度ジンもやはりアルコールの類ですから酔う能力があり、この能力は実生活と離れたところで発揮され、インド哲学やゼロの発見というところで結実することになったのではないでしょうか……。

付録：

「デリー、七つの都の物語」エピローグ

※「デリー、七つの都の物語」は、当時「インド通信」にオマケとして添付された、中世～近世にわたるデリー近郊の七つの都城遺跡と、それらにまつわる歴史物語を、写真付きで紹介する連載の読み物でした。

長らくのご愛読ありがとうございました。m（_ _）m

《第28信 完》

【参考資料】

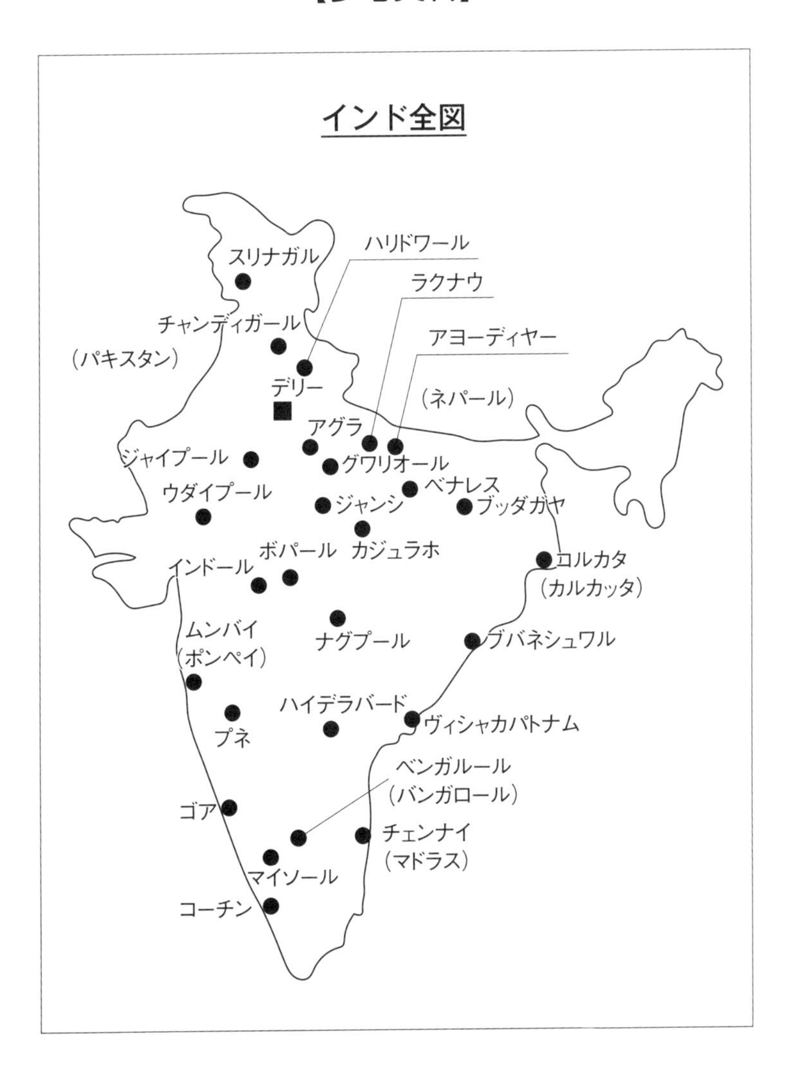
インド全図
ハリドワール
ラクナウ
アヨーディヤー
スリナガル
チャンディガール
(パキスタン)
デリー
(ネパール)
アグラ
ジャイプール
グワリオール
ベナレス
ウダイプール
ジャンシ
ブッダガヤ
カジュラホ
ボパール
インドール
コルカタ
(カルカッタ)
ムンバイ
(ボンベイ)
ナグプール
ブバネシュワル
ハイデラバード
ヴィシャカパトナム
プネ
ベンガルール
(バンガロール)
ゴア
チェンナイ
(マドラス)
マイソール
コーチン

【参考資料】

デリーの気候

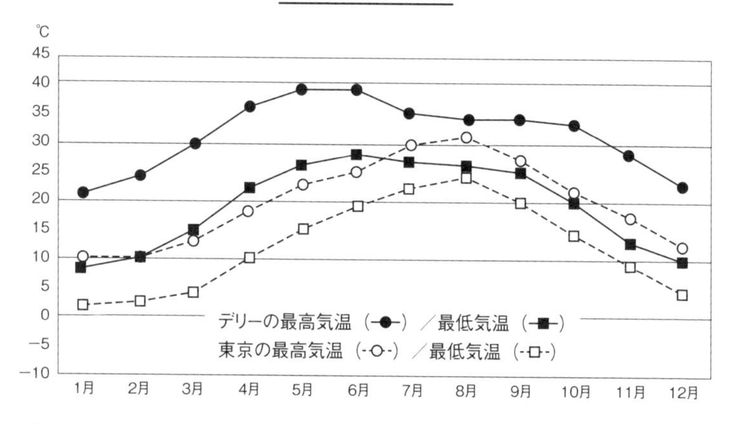

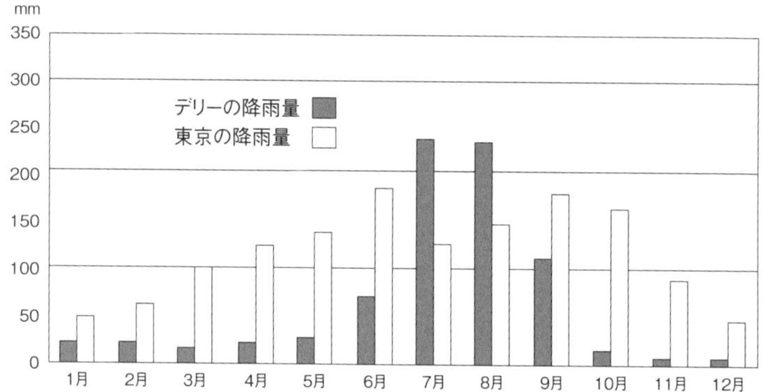

デリーの年間の気候は、シーズンにより大略三つの気候に分かれる。

【乾季】：11月～3月頃まで。最低気温は日により10度を下回ることもある。旅行にはベストシーズン。

【暑季】：4～5月末頃まで。5月に入ると最高気温は日により40度を超え、時には45度を超えることも偶にある。

【雨季】：6月末～9月末頃まで。7～8月は雨量が大きく増え湿度も高くなる。

著者プロフィール

大泉 正城（おおいずみ まさき）

1943年12月：静岡に生まれる。
1967年3月：慶応義塾大学経済学部を卒業。
1967年～2003年：総合商社に勤務し、鉄道車輌、鋳鍛造品、電子材料の輸出、委託加工貿易、海外工業団地の販売等に従事。この間に、インドネシア（バンドンに3年半）、インド（ニューデリーに3年半）、中国（青島に4年）に駐在。
2003年～2013年：国の中小企業支援機関（東京、金沢）において、中小企業の国際化、地域資源の活用・海外展開を支援する事業に従事。
2014年～現在：東京と南房総を往復し、家事修行の傍ら沖ゆく船と草木を観察中。

デリー発 インド通信 ～天竺(てんぢく)に遣(つか)はされし男(をのこ)の消息(せうそこ)～

2024年5月15日　初版第1刷発行

著　者　大泉 正城
発行者　瓜谷 綱延
発行所　株式会社文芸社
〒160-0022　東京都新宿区新宿1－10－1
電話　03-5369-3060（代表）
03-5369-2299（販売）

印刷所　株式会社フクイン

ISBN978-4-286-25130-1